무림오적

무림오적 28

초판 1쇄 발행 2020년 11월 30일

지은이 ㅣ 백야
발행인 ㅣ 신현호
편집장 ㅣ 이환진
편집부 ㅣ 이호준 송영규 최종건 정재웅 양동훈 곽원호 조정범
편집디자인 ㅣ 한방울
영업 · 관리 ㅣ 김민원 조은걸 조인희

펴낸곳 ㅣ ㈜디앤씨미디어
등록 ㅣ 2002년 4월 25일 제20-260호
주소 ㅣ 서울시 구로구 디지털로 26길 111 JnK디지털타워 503호
전화 ㅣ 02-333-2513(대표)
팩시밀리 ㅣ 02-333-2514
E-mail ㅣ papy_dnc@dncmedia.co.kr
홈페이지 ㅣ www.ipapyrus.co.kr

값 8,000원

ISBN 978-89-267-1875-9　04810
ISBN 978-89-267-3458-2　(SET)

PAPYRUS ORIENTAL FANTASY

백야 신무협 장편소설

28

武林五賊

무림오적

PAPYRUS
파피루스

1장.
위천옥(魏天鈺)

"날 알게 된 걸 후회하고 있는 건 아니겠지?"
"설마."
설벽린은 가슴을 내밀며 웃었다.
"만나서 알게 된 지 하루가 채 안 되었지만 그래도 한 번 맺은 의형제는
끝까지 의형제인 거다. 후회하고 말고 할 게 어디 있겠어?"

1. 미친놈이다

"유흥과 계집질이라면 네가 천하제일일 거다."

언젠가 강만리가 설벽린을 두고 한 말이었다.

아닌 게 아니라 설벽린 역시 최소 계집을 옆에 끼고 벌이는 유흥에 관해서는 자신을 따라올 자가 없다고 자신했다. 또 지금껏 그런 자를 만나 본 적이 없었다.

그런데 설벽린보다 열 살은 족히 어린 위천옥은 달랐다.

위천옥은 술자리에서 하는 모든 유흥과 놀이에 해박했다. 설벽린이 새로운 유희(遊戲)를 제안할 때마다 위천옥은 심드렁한 표정을 지으며 말했다.

"그런 오래된 유희 말고 새로운 것으로 해 봐."

위천옥 앞에서는 벌거벗은 창기(娼妓)의 가슴에 따라 주는 계곡주(溪谷酒)도, 입에 머금었다가 입으로 넣어 주는 접문주(接吻酒)도, 심지어 아랫도리 깊은 곳에 옹달샘처럼 술을 모아 마시는 소천주(小泉酒)도 애들 장난에 불과했다.

설벽린은 내심 식은땀을 흘리며 "그러면 이건 어때?", "이건?" 하면서 자신이 알고 있는 모든 유흥거리를 꺼냈다.

하지만 위천옥은 마치 백전노장(百戰老將)이 신임 장수를 보는 눈으로 설벽린을 보며 도리질을 하고는 어깨를 으쓱거렸다.

"뭐, 어쩔 수 없지. 그 정도밖에 알지 못한다면."

설벽린은 내심 위축되는 심정을 억지로 몰아내며 말했다.

"그럼 이번에는 아우님이 제안해 보시지."

"그럴까? 흠, 그럼 이걸 해 볼까?"

위천옥은 벌거벗고 있는 창기들을 모두 탁자 위로 올라가라고 명령했다. 십여 명의 여인들은 쭈뼛거리며 서로의 눈치를 살폈다.

아무리 몸을 파는 직업이라고는 하지만 이렇게 주루의 모든 여인들이 대놓고 손님들 앞에서 옷을 홀러덩 벗고 알몸을 드러낸 건 이날이 처음이었다. 당연히 부끄럽고 쑥스러울 수밖에 없었다.

그렇게 주저하는 여인들을 본 설벽린이 웃으며 말했다.

"제일 먼저 탁자에 오르는 계집에게 은자 열 냥을 주마."

일순 십여 명의 여인들이 앞다퉈 탁자 위로 뛰어올랐다. 설벽린은 크게 웃으며 그중 한 명에게 은자를 던져 주었다.

은자를 받아 쥔 여인은 어디에 간수해야 할지 몰라 난감한 표정을 짓다가 계산대에 앉아 있던 노판랑(老板娘)을 향해 던졌다.

사십 대의, 한때는 이 주루에서 최고 인기를 구가했을 법한 외모의 노판랑은 은자를 가슴팍에 넣으며 계속해서 대청의 상황을 지켜보았다.

원래 노판랑이란 객잔의 지배인과 같은 존재로, 이곳 청루의 창기들을 관리하는 여인을 가리키는 말이었다.

술판이나 손님들의 성향에 따라 그에 알맞은 여인들을 배당하는 일도 그녀의 몫이었고, 또 자칫 소란이라도 벌어지면 서둘러 나서서 진화하는 것도 그녀의 임무였다.

그리고 만약 큰 싸움이라도 벌어질 것 같으면 얼른 청루의 뒤를 봐주는 흑방 사람들에게 연락을 취하는 것 역시 그녀가 해야 할 일이었다.

지금도 마찬가지였다.

기생오라비처럼 생긴 청년이 손님들을 모두 내쫓을 때 그녀는 얼른 점소이에게 눈짓을 보냈고, 점소이는 곧장 뒷문을 통해 밖으로 달려 나갔다. 이 일대를 지배하고 있는 흑표방(黑豹幇) 사람들을 부르기 위해서였다.

그런 조치를 해 둔 까닭에 노판랑은 여유 있게 대청의 상황을 지켜볼 수가 있었다.

지금 태청 탁자에는 십여 명의 벌거벗은 여인들이 일렬로 나란히 선 채, 호리병 하나씩을 하문(下門)에 넣고 있었다. 위천옥은 그런 여인들을 둘러보면서 품에서 은원보(銀元寶) 하나를 꺼내 탁자에 올려 두며 말했다.

"깊숙하게 넣고 꽉 물수록 이길 확률이 높아지니까. 이긴 계집에게는 은자 백 냥을 주마."

은자 백 냥짜리 은원보의 실물을 본 순간, 벌거벗은 여인들의 눈빛이 달라졌다. 그녀들은 어떻게든 더 오랫동안 호리병을 물고 있기 위해서 모든 방법을 동원하기 시작했다.

위천옥은 미소를 지으며 설벽린을 돌아보았다.

"자, 이제 형하고 나는 제일 먼저 떨어뜨릴 계집을 고르는 거야. 못 맞히면 벌주 석 잔. 어때?"

설벽린은 입을 쩍 벌렸다.

이런 유희가 있다는 건 금시초문이었고, 이렇게 대단하고 장엄하기까지 한 광경을 보는 것도 처음이었다. 십여 명의 벌거벗은 여인들이 하문 깊숙하게 호리병을 물고 바동거리는 모습이라니!

"나는 다섯 번째, 저 계집이 가장 먼저 떨어뜨릴 것 같은데."

위천옥의 말에, 지명을 받은 여인의 얼굴이 새빨갛게 변했다. 그녀는 호리병을 하문 깊숙하게 집어넣으려 했다.

"아니, 이제 손을 떼야지. 지금부터 호리병을 손으로 잡으면 반칙이야. 제일 먼저 탈락하는 거지."

위천옥은 냉정하게 말했고, 여인들은 어쩔 줄 몰라 하며 두 다리와 아랫도리에 힘을 주기 시작했다. 이내 끙끙거리는 앓는 소리가 곳곳에서 들려왔다.

"자, 선택해야지."

위천옥이 다시 설벽린을 향해 말했다.

"누군가 떨어뜨릴 때까지 선택하지 못해도 지는 거니까."

설벽린은 한숨을 내쉬고는 천천히 말했다.

"나는 네 번째, 저 여인으로 하겠어."

"좋아. 그럼 내기 성립!"

위천옥이 유쾌하게 말하며 손뼉을 쳤다.

짝! 하는 소리가 요란하게 울려 퍼졌다. 일순 그 날카로운 박수 소리에 놀란 여인 몇몇이 아랫도리를 찔끔하며 다리를 떨었다.

동시에 조임이 풀린 호리병 한 개가 탁자로 떨어졌다. 바로 다섯 번째 여인이었다. 그 뒤를 이어 두 개의 호리병이 연달아 떨어졌지만 이미 승리는 결정된 후였다.

"내가 이겼지?"

위천옥이 기세등등하게 말했다.

"그래, 아우님이 이기셨네. 그럼 벌주 석 잔을 마시지."

설벽린은 연거푸 석 잔의 술을 들이켰다. 위천옥이 계속해서 말했다.

"이번에는 남은 계집 중에서 끝까지 버틸 것 같은 쪽을 고르기로 하지. 지면 벌주 석 잔에 노래 한 곡, 어때?"

"좋아. 나는 세 번째."

"그럼 나는 첫 번째."

위천옥은 말을 끝내기가 무섭게 한쪽 다리를 들어 탁자를 살짝 떠밀었다. 탁자가 흔들리자 여인들은 균형을 잡지 못하고 허우적거렸고, 그 바람에 호리병들이 연달아 떨어졌다.

설벽린은 힐끗 위천옥을 곁눈질하며 생각했다.

'기다리거나 지루한 걸 도저히 참지 못하는 성격이로구나.'

그때였다.

"쳇! 이번 승부는 없던 걸로 하겠어."

위천옥이 짜증을 내며 말했다.

"네년이 잡아당기는 바람에 내가 점찍었던 계집이 먼저 떨어뜨렸잖아? 이건 반칙이라고!"

그는 두 번째로 서 있던 여인을 노려보며 말했다. 여인이 항변하듯 말했다.

"하지만 갑자기 탁자가 흔들리면 누구라도 손을 사용할 수밖에 없다고요."

"이런, 어디서 감히 말대꾸냐?"

위천옥은 가볍게 손을 뻗었다. 일순 누군가 허공에서 머리를 잡아채고 끌어당기는 것처럼 여인이 몸을 숙이면서 위천옥의 손을 향해 제 머리를 들이밀었다.

"함부로 말대꾸한 벌이다."

위천옥은 가볍게 그녀의 뺨을 후려쳤다.

짝! 소리와 함께 그녀의 고개가 꺾이는 것처럼 휙 돌아갔다. 순식간에 그녀의 뺨이 시뻘겋게 부어오르나 싶더니 이내 새파란 멍이 들었다.

설벽린이 말리고 자시고 할 새가 없었다. 그야말로 순식간에 벌어진 상황이었다. 뺨을 얻어맞은 여인이 뒤늦게 비명을 질렀다.

"꺄악!"

위천옥이 눈살을 찌푸렸다.

"팔다리를 자른 것도 아닌데 비명은 무슨……. 에잇, 술맛 다 떨어지는구나. 이래서 촌구석 계집들은……."

위천옥이 짜증을 부리며 말했다.

"됐다. 설 형과 만남을 기념하는 자리인지라 인정을 베풀 터이니 다들 꺼져라."

그의 매몰찬 목소리에 탁자 위에 있던 여인들이 허둥지둥 내려왔다. 그 와중에 뺨을 얻어맞은 여인이 표독한 눈빛으로 위천옥을 쏘아보았다.

위천옥이 가늘게 눈을 떴다. 일순 여인은 안색이 새파랗게 질린 채 뱀을 마주한 개구리처럼 오돌오돌 떨기 시작하더니 이내 가슴을 부여잡고 바닥을 나뒹굴었다.

"수, 숨이……."

여인은 제대로 말도 못하며 바동거렸다.

사방에서 여인들의 비명이 쏟아졌다.

그때였다. 놀란 여인들을 헤치고 달려온 노판랑이 얼른 그녀를 부축했다. 이미 그녀의 눈은 까뒤집혔으며 입에서는 새하얀 거품이 부글부글 끓어올랐다.

설벽린은 저도 모르게 자리를 박차고 그녀에게 다가가려 했다. 하지만 위천옥의 말이 그의 발길을 붙잡았다.

"됐어. 놔 둬, 형."

설벽린은 그를 돌아보았다. 위천옥은 술잔을 들며 말했다.

"날 노려본 죄야. 죽는 게 당연하지."

설벽린의 심장이 쿵쾅거렸다. 가슴이 서늘해졌다. 식은땀이 등골을 타고 흘러내렸다. 그제야 비로소 이 잘생긴 소년이 어떤 사람인지 알 것 같았다.

설벽린은 저도 모르게 속으로 중얼거렸다.

'미친놈이다.'

그것도 타의 추종을 불허할 정도로 강한 미친놈이었다.

2. 의형제

손을 뻗어서 여인의 머리를 끌어들인 수법은 말로만 듣던 허공섭물(虛空攝物)임이 분명했다.

그리고 한 번 노려본 것만으로 여인의 심장을 옥죄어 발작을 일으키게 만든 수법은 무형살(無形殺), 혹은 이기상인(以氣傷人)이라 불리는 초절정의 기법일 것이다.

이른바 살기를 내뿜는 것만으로도 사람을 죽일 수 있다는 심즉살(心卽殺)의 경지는, 심검(心劍)이나 무형검(無形劍) 등과 더불어 무공을 익힌 자가 다다를 수 있는 최고의 경지 중 하나라 할 수 있었다.

만해거사나 유 노대는 물론, 담우천 같은 이도 감히 그런 경지에 올랐다고 말할 수 없었다. 그런데 이 기껏해야 열일고여덟 살에 불과해 보이는 소년은 그 지고지상의 수법을 자유자재로 펼치고 있는 것이다.

물론 소년 위천옥이 죽인 상대가 무공 한 점 펼칠 줄 모르는 일개 청루의 창기라는 점에 비추어 보자면, 그의 이기상인의 수법이 일류의 고수들에게까지 통용될 거라고 확신하는 건 무리였다.

어쨌든 그럼에도 불구하고 위천옥은 설벽린이 감당할 수 없을 정도의 초절정 고수인 것만은 확실했다. 그런 초절정의 고수가 일개 시골 창기가 말대꾸하고 노려보았다는 것만으로 냉정을 잃고 살수(殺手)를 펼친 것이다.

그게 미친놈이 아니고 뭐란 말인가.

'이런……'

머리카락이 쭈뼛거리고 솜털이 곤두섰다. 소름이 닭살처럼 일었다. 순식간에 체온이 떨어지고 손발이 저렸다.

'아무래도 사신(死神)과 친교를 맺은 것 같구나.'

후회가 밀려왔다.

괜히 만해거사와 유 노대 몰래 별채를 빠져나왔다 싶었다. 그깟 계집 속살 냄새 하루 이틀 더 못 맡는다고 해서 무슨 큰일이라도 나는 건 아니지 않은가.

생각 같아서는 위천옥과 만났던 사실을 처음부터 없었던 일로 하고 싶었다.

그때였다.

"뭐야? 겁먹은 거야, 설마?"

불쑥 위천옥이 물었다.

설벽린은 퍼뜩 정신을 차리고 위천옥을 바라보았다. 소년은 싱글거리며 말을 이었다.

"날 알게 된 걸 후회하고 있는 건 아니겠지?"

"설마."

설벽린은 가슴을 내밀며 웃었다.

"만나서 알게 된 지 하루가 채 안 되었지만 그래도 한 번 맺은 의형제는 끝까지 의형제인 거다. 후회하고 말고 할 게 어디 있겠어?"

"호오, 대단하네."

위천옥이 살짝 눈을 크게 뜨며 말했다.

"날 알게 된 사람들은 지금껏 모두 겁먹고 도망치거나 아니면 바닥에 엎드려 꼼짝하지 못했는데."

"나를 그런 형편없는 작자들과 비교하면 안 되지. 적어도 아우님이 형으로 모신 사람이니까. 아우님 안목이 그 정도밖에 되지 않을 리가 없잖아?"

"하하. 맞아."

위천옥이 웃으며 고개를 끄덕였다.

"사실 날 보자마자 반말하는 형의 그 담대함이 마음에 들었거든. 사람들이 날 대할 때 고개조차 들지 못해서 솔

직히 불만이었거든. 재미도 없고 말이지. 형처럼 이렇게 편하고 즐겁게 나를 대하는 사람은 지금까지 거의 없었으니까. 그 전까지만 하더라도 세상 사람들 모두 형편없는 졸자(拙者)들이라고 생각했거든."

"그래? 그건 아우님이 아직 제대로 된 사람들을 만나지 못해서 그래. 내 형제들을 만나게 되면 또 다르게 생각하게 될 거야."

"형제들? 형에게 또 형제들이 있어?"

"그래. 아우님처럼 의형제의 인연을 맺은 형제들이 있지. 원래 나는 사람 사귀기를 좋아하는 편이거든. 그리고 다들 아우님처럼 성격 좋고 마음 씀씀이가 넓은 사람들이야. 난 그런 사람들만 골라 사귀니까."

"내가 성격이 좋고 마음이 넓어?"

"응? 안 그래?"

"흠. 그건 처음 들어 보는 말이라서."

"아냐. 이 형님의 눈과 안목을 믿어 봐. 내가 의형제를 맺은 사람들 중에서 성격 좋지 않고 마음 씀씀이가 형편없는 사람은 단 한 명도 없으니까."

"그럼 나도 성격이 좋고 마음 씀씀이가 넓은 사람이라는 거지?"

"물론이지."

"헤에."

위천옥은 이제야 비로소 또 다른 자신의 성격에 대해서 알게 되었다는 표정을 지었다.

그런 표정을 보면 영락없는 소년이었다. 개미 한 마리 밟아 죽이듯 아무렇지 않게 시골 창기를 죽이는 냉혈한의 모습은 어디에서도 찾아볼 수가 없었다.

이렇게 두 사람이 대화를 나누고 있는 동안 노판랑과 여인들은 죽은 여인의 시신을 챙겨 밖으로 사라졌다. 어느새 점소이들도 숙수도 보이지 않았다. 넓은 대청에는 설벽린과 위천옥만이 남아 있었다.

설벽린은 행여 위천옥의 신경이 다른 여인들로 향할까봐 계속해서 말을 건넸다.

"그래, 그런데 이곳에는 무슨 일로 왔어?"

설벽린의 질문에 위천옥은 가볍게 미소 지으며 대답했다.

"아, 사람 하나 찾으러."

"사람?"

"응. 지금 삼노(三老)가 범정산 일대를 샅샅이 뒤지는 중이야."

설벽린의 가슴이 철렁 내려앉았다. 왠지 모를 불길한 기분이 뒷덜미를 파고들었다.

그는 속으로 침을 꿀꺽 삼키며 물었다.

"사람 누구?"

위천옥(魏天鈺) 〈21〉

"있어. 그런 사람."

위천옥은 장난꾸러기처럼 웃으며 말했다.

"재미있는 무공을 익힌 늙은이야. 내공을 외피화(外皮化)해서 몸 전체에 둘렀대. 그래서 언뜻 보면 그저 뒤룩뒤룩 살이 쪄서 커다란 공처럼 보인다더라고."

'만해거사!'

하마터면 심장이 입 밖으로 튀어나올 뻔했다.

"형도 무공을 익혔으니까 잘 알겠지? 원래 내공은 단전에만 쌓을 수 있다는걸. 그런데 그걸 외피화했다니까, 궁금한 게 당연하잖아?"

위천옥은 킥킥 웃으며 말을 이었다.

"그래서 붙잡아다가 해부를 해 볼까 하고. 아니면 그 늙은이에게 무공을 배우는 것도 나쁘지 않을 거야. 그 늙은이, 서장 천축의 무공을 익혔다고 했거든."

그 부분에서 위천옥의 눈빛이 반짝였다. 그건 무공을 탐구하는 일반 무림인의 눈빛과 다르지 않았다.

"어렸을 적부터 이런저런 무공을 많이 배우기는 했지만 천축 무공은 처음이거든. 한때는 서장의 무공이 대륙의 무공을 앞선 적도 있다고 하니까. 한번쯤 배워 두는 것도 괜찮을 것 같아서."

거기까지 말한 위천옥은 문득 어깨를 으쓱거리며 말을 이어 나갔다.

"아, 그리고 그 늙은이가 과거에 유명한 의생이었대. 마침 그 의술 솜씨도 필요한 일이 있어서. 그러니까 굳이 죽이거나 해부하지 않아도 내 종자(從者)처럼 데리고 다닐 수도 있고. 그래서 성도부로 가던 도중에 굳이 이곳 범정산에 들른 거야."

'서, 성도부?'

이번에도 설벽린의 입이 쩍 벌어졌다. 그는 애써 침착함을 유지하며 지나가는 말처럼 물었다.

"성도부는 왜?"

"아는 사람이 있어서."

위천옥은 별것 아니라는 투로 말했다.

"한번 보고 싶다고 얼마나 연락을 하는지 원. 그래서 얼굴이라도 보여 주려고 가는 길이야."

"으음…… 알고 보니 아는 사람들이 꽤 많은 것 같구나."

"응, 맞아. 이리저리 아는 사람들이 제법 있어. 대부분 곰팡이 나는 늙은이라는 게 문제이기는 하지만 말이야."

위천옥은 킥킥 웃으면서 말했다.

"하지만 성도부에는 오래간만에 만나는 동생도 있고……. 실은 범정산의 늙은 의생을 생포하려는 이유 중의 하나가 동생 때문이기도 하거든. 아주 오래간만에 만나는 그녀에게 주는 선물이라고나 할까?"

'동생? 그녀? 여동생이라는 말이지?'

설벽린은 빠르게 머리를 굴리면서 입을 열었다.

"선물이라니?"

위천옥은 콧잔등을 찌푸렸다.

"으음, 내 이야기를 너무 많이 하는 것 같은데?"

"아, 그래? 미안."

설벽린은 활짝 웃으며 싹싹하게 사과했다.

"아우님과 조금 더 가까워지려다 보니까 이것저것 묻게 되었네. 예의가 아니라면 용서해 주게."

"예의까지야. 그저 나에 대해서만 이야기한 것 같아서 그런 것뿐이야. 어때, 형은? 형 이야기도 조금 해 보지?"

"내 이야기?"

설벽린의 머리가 빠르게 회전했다.

'당연히 만해거사나 유 노대의 이야기를 하면 안 되겠지. 이 아이의 신분을 확실하게 알지 못하는 이상 강 형님이나 담 형님에 대한 이야기도 하면 안 될 것 같고…….'

그는 이것저것 궁리하다가 머리를 긁적이면서 어색하게 웃었다.

"대단한 건 없어. 실은 나도 여동생이 하나 있거든."

"아, 그래?"

"응. 고성(高城) 일대에서는 아름답기로 유명한 아이

야. 날 꼭 빼닮았거든."

위천옥은 순순히 고개를 끄덕였다.

"형처럼 생겼다면야 진짜 아름답겠지."

"그거 왠지 칭찬으로 들리지 않는걸?"

"사실이거든."

"뭐, 그렇다 치고. 어쨌든 그 아이와 나는 서로 외모가 비슷하다는 점을 이용하여 이인일역(二人一役)을 했거든. 동(東)에서 번쩍 서(西)에서 번쩍하며 고관대작의 집을 터는 의적(義賊) 말이지."

"헤에, 도둑이었어?"

"그래서 대단할 거 없다고 했잖아. 왜? 실망했어, 설마?"

설벽린의 물음에 위천옥은 뭔가 떠올린 듯 무릎을 치며 좋아했다.

"그래. 바로 이런 거야. 형의 이런 재치가 정말 좋다니까."

조금 전 자신에게 했던 위천옥의 말을 그대로 되돌려 물어봤던 설벽린은 위천옥의 칭찬이 쑥쓰럽다는 듯이 머쓱하게 웃으며 말했다.

"재치까지는. 그저 간단한 말재간일 뿐이야."

"그런 건 배우고 싶어, 나도."

위천옥이 문득 한숨을 쉬며 말했다.

"내가 웃자고 말해도 내 의도와는 달리 농담으로 받아들이지 않고 다들 벌벌 떨고 기니까, 외려 더 화가 나거든. 마치 나를 업신여기는 것처럼 느껴져서 말이야."

"흠, 그건 조금 가슴 아프겠다."

"그렇지? 역시 형이 내 마음을 잘 알아주네."

위천옥의 표정이 활짝 펴질 때였다.

쾅!

거친 파열음과 함께 주루의 문이 박살 났다. 그리고는 십여 명의 건장한 사내들이 성난 맹수처럼 대청 안으로 뛰어 들어왔다.

선두의 사내가 거칠게 소리쳤다.

"누가 감히 내 세력권 안에서 함부로 날뛰느냐!"

곤륜노(崑崙奴)처럼 검은 피부에 호랑이 눈, 그리고 장비의 수염을 한 자, 바로 흑표방 방주 흑표(黑豹) 번태강(番太鋼)이라는 자였다.

3. 흑표(黑豹) 번태강(番太鋼)

마을에서 백여 리 떨어진 산기슭에 마치 산적의 본거지처럼 지어진 산채(山寨)가 하나 있었다.

십여 채의 집과 오십여 명의 인원이 기거하고 있는 이

곳이 바로 이 범정산 일대를 장악하고 있는 흑표방의 본
거지였다.

위천옥과 설벽린이 신경 쓰지 않는 사이에 청루를 빠져
나와 곧장 이곳 산채로 달려온 점소이는 흑표방 방주 번
태강의 앞에 엎드려 상황을 설명했다.

점소이의 사정을 들은 번태강은 불같이 화를 내며 전
방도를 동원했다.

"감히 내 세력권 안에 들어와서 함부로 날뛰다니, 그것
도 다름 아닌 내 첩들의 집에서 말이다!"

번태강과 청루의 노판랑은 무려 이십여 년 전부터 운우
지정(雲雨之情)을 나눠 온 사이였다.

사실 그녀는 노판랑이 되기 전까지만 하더라도 청루에
서 가장 인기 있는 창기였으며, 그로 인해 번태강의 애첩
(愛妾)이 될 수 있었다.

번태강은 화가 머리끝까지 솟구쳤지만 그래도 이성은
잃지 않았다. 어쨌든 한 지역을 관할하고 지배하는 방파
의 우두머리답게, 그는 점소이의 말 한 마디 한 마디를
놓치지 않았다.

"발을 한 번 구르니까 우르릉! 하고 건물이 흔들렸어요. 탁자
위에 있던 술병과 접시들이 쏟아졌고요."

'내공이 있는 무림인이군.'

번태강은 속속들이 모여드는 부하들을 둘러보며 내심 생각에 잠겼다.

'같이 온 꼬마 녀석은 그리 신경 쓰지 않아도 될 것 같은데, 그 청년이라는 작자가 문제이기는 하다. 어느 정도의 실력을 지녔는지 궁금한데…….'

내공을 익힌 무림인이라면 발을 한 번 힘차게 구르는 것으로 주변 사물을 진동하게 만드는 것 정도는 그리 어렵지 않은 일이었다.

번태강은 물론 그의 다섯 심복 역시 그 정도 실력은 충분히 갖추고 있으니까.

하지만 그게 전력을 다한 진각인지, 아니면 단지 일성(一成)에도 미치지 못하는 수준의 진각인지 확인할 수 없는 이상에는 함부로 청년의 실력을 재단할 수 없었다.

'그래 봤자 서른도 채 되지 않은 애송이일 뿐이다.'

번태강은 어느새 모여든 수하들을 보며 내심 그렇게 중얼거렸다.

서른 명이 넘는 장대한 체구의 장한들. 이 범정산 일대를 벗어나 제대로 된 무림 방파의 일원이 되기 위해 불철주야 무공 수련을 하면서 실력을 쌓아 온 그들이었다.

'이 녀석들이라면…….'

신주오대세가까지는 아니더라도 어지간한 규모의 방파

라면 능히 상대하고도 남을 것이다.

　번태강은 만족스러운 눈빛으로 수하들을 둘러보았다. 그리고는 벼락처럼 소리쳤다.

　"오늘 밤 범정의 청루에서 몸을 풀기로 한다!"

　느닷없는 그의 고함에 수하들은 살짝 어리둥절한 표정을 짓다가 이내 환호성을 내질렀다. 간만에 청루의 아리따운 여인들과 몸을 섞을 기회가 온 것이다.

　"상대는 어린 꼬마 녀석 하나 데리고 있는 청년이다. 나름대로 무공을 익힌 것 같으나, 그래 봤자 애송이에 불과할 터. 바로 뜨거운 맛을 보여 준 다음 청루의 계집들에게도 우리 아랫도리가 얼마나 뜨거운지 보여 주기로 한다!"

　"와아!"

　"안 그래도 이날이 올 줄 알고 열흘 동안 용두질 한번 하지 않았소!"

　"당장 갑시다! 벌써부터 내 하물(下物)이 불끈 솟았다오!"

　수하들은 도끼와 낫, 칼을 휘두르며 소리쳤다.

　번태강의 손이 번쩍 들렸다.

　"그럼 당장 출발한다! 늦게 온 녀석은 국물도 없다!"

　그의 명령이 떨어지기가 무섭게 삼십여 명의 흑표방도들은 일제히 산채 밖으로 내달리기 시작했다. 다들 두 다리를 이용하고 마구 달리고 있었지만 그중에서 몇몇은 나름대로 경공술을 펼치기도 했다.

"좋아, 그럼 가 볼까."

번태강이 지면을 박찼다. 일순 그의 신형이 한 마리 표범처럼 빠르고 날렵하게 허공을 갈랐다.

* * *

'이런 바보들……'

설벽린은 한숨을 내쉬며 막 문을 박차고 들어선 사내들을 바라보았다.

곤륜로처럼 새까만 피부의 중년 사내를 필두로 십여 명의 건장한 장한들이 대청으로 들어섰다. 그리고 그 뒤로 계속해서 칼과 도끼, 낫을 쥔 사내들이 몰려들고 있었다.

'어디 근처의 흑방이로군, 이곳 청루의 뒤를 봐주는.'

설벽린은 사내들을 보자마자 단번에 그들의 정체를 파악했다. 하기야 설벽린 또한 고성에서 나름대로 유명했던 흑방의 방주였던 적도 있었으니까.

'하지만 상대를 잘못 잡았다. 나야 상관없지만, 행여 이 꼬마의 비위를 건드리기라도 한다면 눈 깜짝할 사이에 몰살당할 것이다.'

설벽린은 콧김을 씩씩거리며 다가서는 사내들의 말로

(末路)가 훤히 내다보였다.

하지만 정작 사내들은 전혀 그런 생각을 하지 않는 듯했다. 선두의 검은 피부, 아마도 이 무리의 수괴로 보이는 중년 사내는 설벽린을 노려보며 입을 열었다.

"어디에서 놀다 온 놈팡이인지는 모르겠지만 이곳 범정의 청루는 나, 흑표 번태강이 뒤를 봐주는 곳이다."

'역시 바보다.'

설벽린은 눈을 가늘게 뜨며 생각했다.

'위천옥을 두고 내게 말을 건넨 건 곧 우리 둘 중 누가 더 고수인지 눈치채지 못했다는 의미. 겨우 그 정도 눈썰미를 가지고 살아남기에는 이 바닥이 그리 만만치 않거든.'

반면 번태강은 설벽린이 아무런 말을 하지 못하자 자신의 위세에 눌린 것이라고 착각했다. 그는 코웃음을 치며 어깨를 으쓱거렸다.

"이 어르신에게도 인정이라는 게 있다. 그러니 좋은 말로 할 때 꺼지면 용서해 주마. 아, 꺼질 때 꺼지더라도 가진 건 모두 내놓고."

"안 돼요!"

뒷문 쪽에서 여인의 앙칼진 목소리가 들려왔다.

"그 개자식들, 우리 청아(淸雅)를 죽였다고요! 그냥 돌려보내면 안 돼요!"

노판랑의 목소리였다.

"청아를?"

번태강의 눈이 번들거렸다.

청아라면 노판랑의 뒤를 이어 번태강의 새로운 애첩이
된 창기였다. 요분질이 뛰어나고 감창이 좋아서 하룻밤
에도 몇 번씩이나 사내를 녹여 흐물흐물하게 만들었다.

그런 청아가 죽다니.

"마음이 바뀌었다."

번태강은 손을 내밀었다.

바로 뒤에 있던 수하가 그에게 칼을 건넸다. 단번에 뼈
를 분쇄할 것처럼 생긴, 날이 시퍼렇게 선 직사각형의 커
다란 주도(廚刀)였다.

주도를 본 설벽린의 눈가에 감회의 빛이 어렸다. 그가
고성에서 일구었던 흑방이 바로 주도방(廚刀幫)이었던
게다.

옛 기억이 새로울 즈음, 설벽린은 빠르게 상념을 떨쳐
냈다. 가만 놔뒀다가는 이 흑표를 위시한 수십 명의 사내
들이 몰살당할 게 분명했다.

위천옥이라면 당연히 그렇게 하고도 남을 녀석이었다.
어쨌거나 그는 무시무시하게 강한 미친놈이었으니까.

그래서였다.

위천옥이 뭔가 움직임을 시도하기 전에 설벽린이 천천

히 자리에서 일어나며 말했다.

"꽁지를 말고 도망칠 사람들은 우리가 아니라 네놈들이다."

"응?"

번태강의 눈매가 매섭게 휘어졌다. 설벽린은 혀를 차며 말했다.

"네 놈의 귓구멍은 장식이더냐? 아니면 태생이 검은 돼지였던 게냐? 왜 사람 말을 알아듣지 못하는 게냐?"

"뭐, 뭐야?"

번태강의 코가 실룩거리면서 뜨거운 콧김이 새하얗게 흘러나오기 시작했다.

"이 어르신께서 이 아우님과 의형제를 맺은 날이다. 이렇게 좋은 날, 굳이 쓸데없는 피를 보고 싶지 않다. 그러니 좋은 말로 할 때 썩 물러가거라. 아, 가진 건 모두 내놓고 말이다."

"하하하."

위천옥이 웃으며 손뼉을 쳤다.

"역시 나는 형의 그런 농담이 좋다니까."

번태강은 위천옥을 한 번 노려보았다가 다시 시선을 설벽린에게로 향했다. 그리고는 들고 있던 주도를 뻗어 설벽린을 가리키며 말했다.

"내가 널 죽이지 못하면 사람…… 헉!"

그는 채 말을 끝내지도 못한 채 헛바람을 들이 삼켰다. 거리를 두고 있던 설벽린이 한순간 신기루처럼 사라지나 싶더니 이내 번태강의 코앞에 나타나 얼굴을 들이대고 있었다.

"무슨 짓이냐!"

번태강이 깜짝 놀라 뒤로 물러나며 주도를 휘둘렀다.

슈웅!

바람 소리가 격하게 허공을 갈랐다. 하지만 그 자리에는 이미 설벽린의 모습이 존재하지 않았다.

"뒵니다!"

수하들의 고함소리에 놀란 번태강이 황급히 뒤를 돌아보았다. 바로 코앞, 설벽린의 싱글거리며 웃는 얼굴이 있었다.

"헉!"

번태강은 다시 놀라며 칼을 휘둘렀다.

워낙 다급한 까닭에 제대로 내공을 운용하지 않고 마구잡이로 휘두르고 있었지만, 그 바람 소리가 매섭고 기세가 흉흉한 것만 보더라도 결코 평범한 수준의 칼질은 아니었다.

하지만 번태강이 아무리 사방팔방 칼을 휘둘러도, 칼바람이 세차게 허공을 휘몰아쳐도 설벽린의 옷깃 한 점 어찌해 볼 수가 없었다.

설벽린은 마치 놀리기라도 하듯 연신 보법을 밟으며 번태강의 뒤를 잡고 얼굴을 들이댔다.

어쩌면 이 한 수의 재간만으로도 충분히 번태강과의 격차를 입증해 보이겠다는 듯, 설벽린은 한 번의 공격도 펼치지 않은 채 계속해서 번태강의 칼질을 피하고 또 피할 따름이었다.

2장.
악몽(惡夢)

정말 길고 긴 밤이었다.
마치 지옥에서 악마를 만나고 온 듯한 기분이었다.
지금껏 나름대로 이런저런 많은 일을 겪었다고 자부하는 그였지만
이날의 경험은 정말이지 기억 속에서 지우고 싶을 정도의 악몽(惡夢)이었다.

1. 몰살(沒殺)

'오호라, 이런 뜻이었나?'

설벽린은 눈을 반짝였다.

지금 그는 유 노대가 자신에게 했던 것처럼 단지 보법만을 이용하여 번태강의 공격을 피하는 동시, 그의 사각(死角)으로 이동하고 있었다.

번태강의 칼질은 결코 평범하지 않았다. 뒷골목 불량배의 칼질이 아닌, 제대로 된 무공 수련을 한 흔적이 역력하게 남아 있는 공격이었다.

거기다가 타고난 힘과 체력을 바탕으로 수십 근이나 되는 무거운 쇠칼을 팔랑개비처럼 빠르게 휘두르고 있었다.

자칫 한눈을 팔거나 보법을 제대로 밟지 못한다면 그 시퍼런 칼날에 목이 잘리거나 팔다리가 박살 날 수도 있었다.

 설벽린은 유 노대의 움직임을 기억해 냈다. 그의 발놀림을 떠올렸고 그 물 흐르는 듯한 흐름을 상기했다.

 단전에서 시작된 기(氣)가 어떻게 신체를 휘돌아 발끝에 머무는지, 그 발끝에 머문 기를 어떤 식으로 운용하고 어떤 방법으로 사용하는지 이해했다.

 그렇게 설벽린은 그 보법이 자신의 신체와 발에 완벽하게 숙달이 되도록 노력했고, 불과 반각도 채 지나지 않아서 그는 유 노대의 보법을 자신의 것으로 만들 수가 있었다.

 사실 그건 기적처럼 놀라운 일은 아니었다.

 애당초 설벽린은 유 노대와 동행하는 내내 그에게 경공술과 보법에 대해 알게 모르게 가르침을 받고 있었다.

 성도부 화평장을 떠난 이후부터 범정산에 이르기까지, 또 범정산을 내려와 범정촌 객잔 별채에 머물 때까지 유 노대의 가르침은 쉬지 않고 이어졌다.

 그 결과가 지금 이렇게 흑표 번태강이라는 인물을 농락하고 있는 설벽린의 보법으로 나타나고 있었다.

 처음부터 미소를 띤 채 지켜보고 있던 위천옥의 입가에서, 어느새인가 그 미소가 사라지고 보이지 않게 되었다.

그는 예리한 시선으로 설벽린의 발과 어깨, 그리고 그의 시선을 가만히 지켜보았다.

"이 날파리 같은 자식!"

번태강이 씩씩거리며 소리쳤다.

전력을 다해 칼을 휘두른 회수가 벌써 이백 회가 넘었다. 아무리 그라 할지라도 지치는 건 당연한 일이었다. 전신이 땀으로 번들거리는 상황에서 그는 잠시 호흡을 가다듬기 위해 크게 칼을 휘두르고는 뒤로 물러나려 했다. 하지만 소용이 없었다.

"뒤를 조심하십쇼!"

"뒤에 있습니다!"

지켜보고 있던 수하들이 연달아 소리쳤다.

번태강이 벼락같이 칼을 휘두르며 몸을 돌렸다. 하지만 이번에도 그의 주도는 애꿎을 허공만을 갈랐을 뿐이다. 여전히 그의 귓가로 설벽린의 가늘고 긴 호흡이 느껴졌다.

"벌써 지친 거야?"

번태강의 온몸에 소름이 돋았다.

그제야 비로소 자신이 그의 상대가 되지 못한다는 걸 깨달았다. 그가 마음만 먹으면 언제든지 자신을 죽일 수 있다는 사실도 알아차렸다.

'내가 졌다.'

그렇게 상대와의 격차를 인정하게 되자마자 다리에 힘
이 쭉 빠졌다. 주도를 들 수조차 없을 정도로 손이 축 늘
어졌다. 전신이 후들거려 제대로 서 있을 수조차 없었다.

그때 그런 번태강의 어깨를 잡는 손이 있었다. 바로 설
벽린이었다.

설벽린은 마치 오랫동안 대련을 한 동료에게 하듯, 번
태강의 어깨를 툭툭 치며 말했다.

"이제 그만 돌아가도 좋아."

자비였다.

설벽린이 할 수 있는 최선의 방법이었다. 이것으로 이
수십 명 사내들의 목숨을 구할 수 있을 것이다. 위천옥이
느닷없이 발작하지 않는 한.

번태강은 이를 악물었다.

그의 시야에 수하들의 얼굴이 들어왔다. 걱정하는, 수
심에 잠긴, 당황한, 그런 수십 가지의 감정들이 복합적으
로 담긴 얼굴들이 거기에 있었다.

만약 이대로 패배를 선언한다면······.

번태강은 두 번 다시 그들의 앞에 설 수 없을 것이다.
수하들과 마주할 면목이 없는 게다. 무인에게 있어서 체
면과 자존심의 가치는 생명보다 더 중한 법이었으니까.

번태강은 한껏 내공을 끌어올렸다. 그리고는 자신의 뒤
로 찰싹 달라붙어 있을 설벽린을 노리고는 주도를 거꾸

로 쥔 채 자신의 옆구리 쪽으로 쑤셔 박았다.

주도가 스치면서 옆구리의 옷이 찢어지고 피가 흘렀지만, 그는 아랑곳하지 않고 크게 외쳤다.

"뭣들 하느냐! 이 개자식들을 모두 죽여라!"

"와아!"

"죽여라!"

"사방에서 덮치면 저 미꾸라지 같은 놈도 어찌할 수 없을 것이다!"

흑표방도들은 너 나 할 것 없이 소리를 내지르며 칼과 도끼, 낫을 휘두르며 대청으로 뛰어들었다.

이때 설벽린은 번태강의 일격에 깜짝 놀라 뒤로 훌쩍 물러난 상황이었다. 번태강이 그런 식으로, 자신에게 부상을 입히면서까지 공격을 해 올 줄은 미처 몰랐던 것이다.

그렇게 설벽린이 뒤로 물러난 바람에 그의 전면은 텅 비게 되었고, 무기를 휘두르며 달려드는 수십 명 흑표방도들의 좋은 표적이 되었다.

그때였다.

설벽린의 뒤쪽 의자에 앉아서 가만히 구경하고 있던 위천옥이 천천히 일어섰다. 그리고는 오른팔을 들어 좌측에서 우측으로 마치 일도양단(一刀兩斷)의 초식을 펼치듯 크게 휘둘렀다.

일순 설벽린은 등 뒤에서 쏟아지는 무형의 기세에 흠칫 놀라며 허리를 숙였다. 보이지 않는 무언가가 그의 등을 훑고 아슬아슬하게 스쳐 지나갔다.

'헉!'

허리를 숙인 채 정면을 주시하고 있던 설벽린의 눈이 휘둥그레졌다.

설벽린을 향해 덤벼들던 수십 명의 흑표방도들, 그들의 머리가 좌측에 있던 자부터 시작하여 맨 우측의 사내까지 차례로 하나씩 잘려 나가 대청 바닥에 떨어졌다.

마치 날이 잘 선 낫에 의해 벼들이 싹둑 잘려 나간 듯한 광경이었다.

이내 수십 개의 머리통이 차례로 바닥에 나뒹굴었고, 목에서 뿜어져 나온 핏물이 바닥을 흥건하게 적셨다.

머리통이 잘려 나간 수십 개의 몸통은 순간적이나마 설벽린을 향해 덤벼들던 자세 그대로 멈춰 서 있다가, 뒤늦게 균형을 잃고 앞으로 꼬꾸라졌다. 첨벙거리는 소리가 들리는 것만 같았다.

그야말로 몰살(沒殺)이었다.

살아남은 흑표방도는 아무도 없었다. 심지어 번태강마저 목이 잘려 나간 채로 핏물 속에 엎어져 있었다.

그 참혹한 광경에 설벽린은 모골이 송연하고 등골이 오싹했다. 손발이 부들부들 떨려 제대로 서 있을 수가 없었다.

설벽린은 천천히 뒤를 돌아보았다. 위천옥과 시선이 마주치자 그가 싱긋 웃었다. 티끌 하나 묻어나지 않는 순진하고 순박한 웃음이었다.

설벽린의 심장이 차갑게 얼어붙는 순간이었다.

'이 녀석.'

설벽린은 저도 모르게 마른침을 꿀꺽 삼키며 생각했다.

'나까지 죽이려 들었어.'

사실이었다.

만약 설벽린이 그 무형의 기세를 눈치채지 못했다면, 엉겁결에 허리를 숙이지 않았더라면 그 역시 저 흑표방 도들처럼 머리가 성둥 잘린 채로 쓰러져 있었을 것이다.

자신의 목이 잘려 나가는 광경을 떠올리자 설벽린은 다시 한번 온몸이 얼어붙었다.

역시 위천옥은 미친놈이었다. 두 번 다시 상종하기 싫은 미친놈. 같이 있다가 언제 무슨 봉변을 당할지 모르는 미친놈이었다.

"뭘 그렇게 보는데?"

위천옥의 물음에 설벽린은 퍼뜩 정신을 차렸다. 위천옥이 싱글거리며 재차 물었다.

"내 얼굴에 뭐라도 묻었어? 아니면……."

위천옥의 입가에서 천천히 미소가 사라졌다.

"아니면 날 알게 된 걸 후회하고 있는 건 아니겠지?"

설벽린의 심장이 멈추는 듯했다.

그건 위천옥이 처음 청아라는 창기를 죽였을 때의 질문이었다. 그리고 설벽린은 그때 느꼈던 것보다 몇 배, 몇십 배나 더한 공포와 두려움을 느끼고 있었다.

설벽린은 애써 미소를 지으며 말했다. 놈이 창기를 죽였을 때와 똑같은 대답을.

"설마."

* * *

그나마 노판랑을 비롯한 창기들을 모두 죽이지 않은 건 천만다행이었다.

물론 그건 위천옥의 자비심이 넘쳐서가 아니었다. 단지 더 이상 손을 쓰기 귀찮았을 뿐이고, 무엇보다 그의 뇌리에서는 애당초 노판랑을 비롯한 계집들이 존재하지도 않았다.

하기야 조금 전에 스치듯 보았던 발밑의 개미들에 대해서 누가 관심을 두겠는가.

설벽린은 위천옥의 술맛 떨어졌다는 말에 '옳거니!' 하면서 그를 데리고 청루 밖으로 걸어 나왔다. 청루 밖 거리에는 아무도 없었다.

미처 청루 안으로 들어오지 못했던 흑표방도들의 모습도 전혀 보이지 않았다. 대청에서 벌어진 참극에 놀란 그들은 혼비백산하여 두 손으로 머리를 감싸 쥔 채 이미 어둠 저편으로 자취를 감춘 후였다.

그저 그들이 버리고 간 낫과 도끼들만이 거리에 나동그라져 있었다.

"그럼 별채로 돌아가지."

설벽린은 객잔 방향으로 걸음을 옮기며 일부러 유쾌하게 말했다.

위천옥이 눈을 반짝이며 말했다.

"별채로 가서 술 한잔 더 할까?"

'무슨 귀신 씻나락 까먹는 소리!'

설벽린은 웃으며 고개를 저었다.

"아니, 나는 이 정도면 충분해. 게다가 내일 아침 일찍 길을 떠나야 하거든."

"그래? 조금 아쉬운데? 나와 이렇게 의형제를 맺은 사람은 형이 처음인데, 이대로 떠나보내기가 섭섭하네."

'아니, 섭섭하지 않거든. 그러니까 제발 이대로 나를 보내주라고.'

"하하. 원래 인연이라는 게 그런 거야. 벼락처럼 왔다가 신기루처럼 사라지기도 하고, 또 전혀 생각하지 않을 때 다시 만나기도 하는 거지. 세상일이라는 게 다 그런

법이네, 아우님."

설벽린이 그렇게 말할 때였다.

등 뒤쪽, 그러니까 청루가 있던 거리 쪽에서 여인네들의 울음소리, 비명이 희미하게 들려왔다. 아마 뒤늦게 대청 상황을 파악한 노판랑과 창기들의 울부짖음일 것이다.

하지만 두 사람은 누구 하나 신경 쓰지 않았다. 설벽린은 애써 듣지 못한 척했고, 위천옥은 한갓 바람 소리를 들은 것처럼 심드렁한 표정이었다.

설벽린은 계속해서 걸으며 쉴 새 없이 떠들었다.

"애당초 회자정리(會者定離), 거자필반(去者必返)이라는 말이 왜 있겠나? 만나면 헤어짐이 있고 또 헤어짐이 있으면 해후도 있는 것이지. 그러니까 오늘의 헤어짐을 아쉬워하지 말고 내일의 만남을 기대하는 게, 그게 바로 진정한 인연이라 할 수 있다고 이 형님은 생각한다네."

위천옥은 나이답지 않게 뒷짐을 진 채 천천히 걸음을 옮기며 그의 이야기를 들었다.

"사실 나도 아쉽기는 하지. 모처럼 의기투합한 아우님과 이대로 헤어진다는 게 말이야. 그러나 이 형님에게도 해야 할 일이라는 게 있고, 또 동행도 있으니까. 그들의 발목을 잡을 수는 없지 않겠나?"

위천옥이 불쑥 물었다.

"그럼 동행이 없으면?"

일순 설벽린의 가슴이 철렁 내려앉았다.

2. 잘 버틴 거다

말 한 마디 한 마디가 송곳 같고 가시 같았다. 더 무섭
고 두려운 건 그 말을 아무렇지 않게 실천에 옮길 수 있
는 능력과 행동력이 있다는 사실이었다.

지금 이 상황에서 자칫 잘못 말했다가는 아예 만해거
사와 유 노대마저 죽여 버릴 것 같았다. 그들이 누구이건
상관없이 오로지 설벽린의 동행이라는 이유 하나만으로.

설벽린은 애써 웃으며 말했다.

"하하. 동행이 없다 해도 안 되지. 이미 잡혀 있는 선약
이 있고, 또 만나러 가야 할 상대가 있으니까. 그들을 기
다리게 만드는 건 곧 내 신용을 저버리는 것, 사내에게
있어서 신뢰와 신용이라는 건 곧 목숨과도 같은 거니까
말일세."

"흠, 그런가?"

위천옥은 고개를 갸웃거렸다.

"내가 아는 사람들은 내가 늦게 가든 빠르게 가든 다들
무조건 허리를 굽히던데."

"겉으로야 뭐 그럴 수도 있겠지만 속으로는 어떻게 생각할까? 약속 하나 제대로 지키지 못하면서 무슨 일을 할 수 있겠느냐고 손가락질을 하진 않을까?"

"내게 손가락질을 하는 녀석은 아무도 없어."

위천옥이 가볍게 눈살을 찌푸리며 말했다.

"지금껏 본 적도 없고 설령 보았다 한들 살려 두지 않았을 테니까."

설벽린은 이마의 식은땀을 훔쳐내며 웃었다.

"하하. 그야 그럴 테지. 말이 그렇다는 게야. 어쨌든 나는 아우님과 달리 신용과 신뢰를 생명처럼 여기니까. 만약 내가 아우님에 대한 신뢰를 저버린다면 결코 나를 용서하지 않을 거잖아?"

위천옥은 고개를 끄덕였다.

"물론이지. 당장 죽여 버릴 거야."

"그래. 그러니까 신뢰는 중요한 거야. 내게 중요한 건 또 상대방에게도 중요한 거고."

"흠."

위천옥은 잠시 생각하다가 어깨를 으쓱거렸다.

"무슨 말인지 이해했어. 그러니까 나도 이곳에서 허투루 시간을 보내면 안 되는 거네. 성도부에서 나를 기다리고 있는 사람이 있으니까 말이지."

"그래. 바로 그런 거야. 상대에게 신뢰를 잃는다는 건

내 자존심이 허락하지 않는 일이야. 그러니 아우님도 당연히 자존심이 허락하지 않겠지."

"형 말을 들으니 나도 자존심이 허락하지 않을 것 같군. 지금 다시 생각해 보니까 남에게 신뢰를 잃는다는 일은 확실히 불쾌하고 짜증이 나는 일 같아."

"잘 생각했어. 역시 우리 아우님이셔."

"아니, 형의 설명이 좋았어. 내가 이해하기가 편했거든. 우리 늙은이들의 말과는 전혀 달라. 그 늙은이들은 무조건 어려운 말들을 써 가면서 구름 잡는 식으로 말을 하거든."

위천옥을 뾰로통하게 입술을 내밀며 말했다.

"하도 귀찮게 말대답을 해 대는 바람에 그 늙은이 중 두 명을 죽이기는 했지만, 지금 생각하니까 조금 아쉽네. 그래도 내게 신뢰를 주는 사람들이었는데."

아무렇지 않게 말하는 위천옥의 말에 설벽린은 다시 한 번 결심했다.

'반드시, 기필코 이 소악마(小惡魔)와 헤어질 것이다. 그리고 두 번 다시 만나지 않을 것이야!'

설벽린은 웃으며 말했다.

"여하튼 아우님과 다시 만날 날을 손꼽아 기다릴게. 우리의 인연이 허락한다면 반드시, 기필코 다시 만날 거야."

"그렇겠지. 그렇게 될 거야."

위천옥은 웃으며 말했다.

"정 아니다 싶으면 아는 사람들에게 부탁해서 형의 행적을 추적하면 되니까. 아, 참. 그럼 내일 이곳을 출발하면 어디로 갈 거야?"

설벽린의 등골이 절로 서늘해졌다.

그렇게 대화를 나누면서 걷다 보니 마침 객잔 후원에 당도했다. 설벽린은 어떻게 대답할까 생각하며 후원의 문을 열었다. 위천옥은 웃어른처럼 자연스럽게 앞장서서 들어갔다.

설벽린은 그 뒤를 따르며 입을 열었다.

"중간에 이곳저곳 들르기는 하지만 종착지는 항주야. 근 일 년 만에 만나볼 사람이 그곳에 있거든."

"누군데? 형의 의형제라는 사람들?"

"아니."

설벽린은 가슴이 뜨끔했다. 위천옥이 이런 미친놈인지 몰랐을 때 꺼낸 의형제 이야기를 녀석은 정확하게 기억하고 있었다.

'입이 방정이라니까.'

설벽린은 서둘러 말했다.

"뭐라고 해야 하나? 이를테면 내 사부 같은 분이셔. 내게 무공의 기초와 살아가는 지혜를 가르쳐 주신 분이거든."

문득 위천옥이 걸음을 멈췄다. 설벽린의 가슴이 절로 두근거렸다.

'뭐 잘못 말한 게 있나?'

위천옥은 설벽린을 돌아보며 물었다.

"혹시 곤륜파 사람이야?"

"응? 아닌데? 나 같은 무명 졸자에게 그런 명망 높은 방파의 사람이 무공을 왜 가르쳐 주겠어? 왜? 왜 그런 생각을 했는데?"

한사코 부인하는 설벽린의 말이 빨라졌다. 위천옥은 어깨를 으쓱거리며 말했다.

"아니. 아까 청루에서 형이 펼쳤던 보법 말이야. 그게 어딘지 모르게 곤륜파의 그것과 비슷하게 느껴졌거든."

"그래? 하지만 아니야. 내게 무공의 기초를 가르쳐 주신 분은 애당초 명문 정파와는 담을 싼 도둑이었으니까."

"도둑? 설마 취몽월영(醉夢月影)은 아니겠지?"

취몽월영은 당대 최고의 신투(神偷)였으며, 설벽린의 의제(義弟)인 장예추의 사부 중 한 명이기도 했다. 그가 세상을 뜬 지도 벌써 수년이 흘렀지만, 아직 세상 사람들 대부분은 그가 여전히 살아있다고 믿고 있었다.

"글쎄? 나도 정확한 건 몰라. 그분이 자신의 별호를 말한 적이 없어서. 하지만 취몽월영 같은 거물은 아니실 거야."

설벽린은 애매하게 대답하고는 이내 화제를 돌렸다.

"다 왔네. 그럼 이쯤에서 헤어지자."

설벽린은 비장한 모습으로 두 손을 모아 포권의 예를 갖추며 말했다.

"그럼 다시 만나는 그날까지 보중(保重)하시기를, 아우님."

위천옥이 웃었다. 그리고는 설벽린처럼 비장한 자세로 포권의 예를 취했다.

"그래. 다음에 만날 때까지 건강하고."

"그럼 이만."

설벽린은 몸을 돌려 자신의 별채로 향했다. 위천옥은 가만히 그 뒷모습을 지켜보다가 불쑥 입을 열었다.

"아! 혹시 날 찾고 싶으면 말이지."

설벽린이 뒤를 돌아보았다. 위천옥은 웃는 낯으로 말했다.

"황계를 찾아가. 그곳에서 소야(少爺)를 찾으면 돼."

"소야?"

위천옥은 고개를 끄덕였다.

"그래. 그게 지금의 내 별호이니까. 나는 형의 사부처럼 별호 따위 숨기지 않거든."

"하하, 그래. 기억하겠어. 황계에서 소야를 찾으면 되지?"

설벽린은 마지막 인사를 한 후 곧장 별채로 걸어갔다. 한달음에 달려가고 싶은 걸 억지로 참았다. 위천옥이 아직도 자신의 뒷모습을 지켜보고 있다는 걸 느낄 수 있었다.

조용히 별채의 문을 열고 들어선 후 비로소 그는 안도의 한숨을 크게 내쉬…… 내쉬려다가 황급히 입을 막았다. 위천옥의 그 뛰어난 청력을 생각한다면 설벽린의 한숨도 알아차릴 게 분명했기 때문이었다.

그는 문 앞에 서서 한동안 귀를 기울였다. 자박거리는 발걸음 소리가 희미하게 멀어져 갔다.

얼마나 시간이 흘렀을까. 더 이상 아무런 기척이 들리지 않았다. 그제야 비로소 설벽린은 길게 한숨을 내쉬었다.

정말 길고 긴 밤이었다.

마치 지옥에서 악마를 만나고 온 듯한 기분이었다. 지금껏 나름대로 이런저런 많은 일을 겪었다고 자부하는 그였지만 이날의 경험은 정말이지 기억 속에서 지우고 싶을 정도의 악몽(惡夢)이었다.

'그래, 악몽을 꾼 거야.'

설벽린은 속으로 중얼거렸다.

발작적으로 깨어나면 온몸이 땀에 흥건하게 젖어 있을 정도로 무섭고 두려운 꿈을 꾼 것이다.

설벽린은 그렇게라도 도피를 하고 싶었다. 현실이 아닌

꿈을 꾼 거라고 믿고 싶었다. 하지만 위천옥은 엄연히 존재하는 인물이었고 이날 밤의 경험은 악몽이 아닌 현실이었다.

'빌어먹을!'

애초에 별채 밖으로 나가지 않았어야 했다. 계집 속살 대신 용두질 몇 번으로 불타오르는 성욕을 달랬어야 했다.

아니, 굳이 말을 건네지 않았으면 되는 일이었다. 괜한 오지랖 넓게 위천옥에게 말을 건넨 게 실수였다.

그냥 혼자 밖으로 나가서 어디 유곽이나 찾아 들어가면 되는 일이었다. 그러면 설벽린이 위천옥과 엮일 일은 전혀 없었다.

'이게 다 내 오지랖 때문이다.'

설벽린은 머리를 벅벅 문질렀다.

오지랖은 병이다.

알면서도 고쳐지지 않는 불치의 병. 평소에는 몸과 마음 깊숙하게 잠복해 있다가 불시에 튀어나와 사람 곤란하게 만들고 후회까지 하게 만드는 병이었다.

'아니, 후회만 하고 있을 때가 아니다.'

설벽린은 눈빛을 빛내며 생각에 잠겼다.

'어쨌든 위천옥이 만해거사를 찾고 있다는 사실을 안 건 천만다행이다. 만약 아무 것도 모른 채 내일 밖으로

나갔다가 행여 만해거사께서 위천옥과 마주쳤다면…….'

생각만 해도 끔찍했다.

사실 만해거사는 강했다. 그것도 무지막지하게 강했다. 설벽린이 직접 보고 경험했기 때문에 잘 알고 있었다. 어지간한 고수라면 결코 철목가의 호법을 상대로 그렇게 일방적인 승리를 거머쥐지 못했을 것이다.

하지만 설벽린은 아무리 생각해 봐도 만해거사가 위천옥을 상대로 이기는 상상을 할 수가 없었다. 위천옥이 수십 명 흑표방도들의 목을 잘랐던 그 수법 하나만으로 만해거사가 승리할 방법은 전혀 없었다.

최소한 설벽린은 그렇게 생각했다.

물론 만해거사가 지지 않을지도 몰랐다. 어쩌면 그 노회한 경륜과 수많은 실전 경험을 바탕으로 위천옥에게서 승리를 쟁취할지도 몰랐다.

하지만 설벽린은 세상 그 누구보다도 위천옥이 무섭고 두려웠다.

그 앞에 서 있기만 하더라도 질식할 것만 같은 위압감과 압도적인 기세. 비교할 수 없을 정도로 잔악하고 잔인한 손속. 위천옥 앞에서 설벽린은 한 마리 생쥐와도 같았다.

'정말 잘 버틴 거다, 벽린.'

설벽린은 스스로를 칭찬했다.

'다른 사람 같았으면 그 질식할 것 같은 공포에 미쳐서 발작하고 말았을 거야. 나나 되니까 끝까지 버티고 버텨서 이렇게 살아 돌아올 수 있었지.'

생각 같아서는 자신의 머리라도 쓰다듬어 주고 싶은 설벽린이었다.

3. 달아난 후에

사위는 조용했다.

술에 취해 잠든 두 노인네의 코 고는 소리만이 복도 저편에서 희미하게 들려왔다.

설벽린은 어두컴컴한 객청에 홀로 앉아서 차를 따랐다. 미지근한 찻물이었지만 한 모금 마시자 한결 몸이 풀어지고 정신이 맑아졌다.

금세 한 잔을 비운 설벽린은 다시 차를 따랐다. 그는 두 손으로 찻잔을 감싼 채 창밖으로 시선을 향했다.

석등의 불빛이 희미하게 반짝이고 있었다. 그 너머로 위천옥의 별채가 보였다. 객청의 불이 밝혀진 걸 보니 녀석도 설벽린처럼 객청 탁자에 앉아 있는 모양이었다.

'술이라도 마시고 있겠지.'

문득 설벽린의 눈가에 이채의 빛이 발했다.

'그러나저러나 그건 강기(罡氣)였겠지?'

설벽린은 당시 위천옥의 수법을 떠올렸다.

위천옥의 손에서는 그 어떤 빛무리도 발견할 수 없었다. 그저 일도양단의 수법으로 손을 휘둘렀을 뿐이고, 그 단순한 손동작에 의해 이삼 장 밖에 있던 수십 명 흑표방도들의 목이 잘려 나갔던 것이다.

'일반 강기들보다 훨씬 익히기 어렵다는 무형강기(無形罡氣)라는 거겠지? 도대체 그 어린 녀석에게 어떤 사연이 있기에, 그렇게 가공할 무위를 지닐 수 있었을까?'

짐작할 수가 없었다.

세상에 어느 누가 있어서 그런 고약한 괴물을 만들어 낼 수가 있단 말인가.

'천하의 황계도 모든 전력을 기울여서 겨우 우리 무림오적을 만들었을 뿐인데.'

속으로 중얼거리던 설벽린은 한순간 고개를 갸웃거렸다.

'가만있자. 아까 그 녀석, 자기를 찾으려면 황계에 연락하라고 했지? 설마 녀석도 황계와 관련이 있는 건 아닐까?'

이내 설벽린은 정색했다. 무시무시한 생각이 그의 뇌리를 스쳐 지나간 것이다.

'설마 무림오적은 오대가문의 시선을 빼앗는 미끼에 불

과한 거고, 진짜 황계의 비밀 병기가 바로…….'

하지만 그는 이내 고개를 내저었다.

'아니, 너무 앞서간 생각이다. 애당초 그 녀석이 황계와 어떤 관계인지도 모르는데 말이지.'

그랬다. 위천옥이 성도부의 지인을 만나러 간다고 할 때만 해도 혹시, 하는 생각이 없지는 않았다.

그러나 십삼매를 두고 그 노인네라고 말하지는 않을 터. 결국 위천옥의 지인은 십삼매가 아닌 전혀 다른 인물이었다.

'너무 그를 두려워하니까 이런 헛된 망상에 빠지는 거다. 마냥 무서워하고 있을 필요는 없다.'

설벽린은 다시 차를 마시며 마음을 가라앉혔다.

'위천옥이 누구인지, 누가 그를 키웠는지는 알 필요가 없어. 그와 엮이지 않는 게 최선이지.'

사실 지금 설벽린의 가장 중요한 일은 만해거사와 위천옥이 만나는 불상사가 벌어지지 않도록 하는 것이었다.

'내일 새벽같이 일어나서 천옥 몰래 이곳을 빠져나가는 게 상책인 것 같다.'

그럼 만해거사와 유 노대에게는 뭐라고 말해야 할까? 갑자기 긴급한 일이 생겼으니 빨리 출발하자고 해야 하나? 아니면 감당할 수 없는 적이 나타났다고 해야 하나?

'물론 위천옥의 존재에 대해서 말할 수는 없지. 지금껏

봐 온 만해거사의 성격상 그 녀석의 존재를 알게 된다면
절대 물러나려 하지 않을 테니까.'

설벽린은 길게 한숨을 내쉬었다.

이래도 걱정, 저래도 걱정이었다. 골치가 지끈거렸다.
차라리 고성에서 조그만 흑방의 방주 노릇을 하면서 가
끔 공공아의 이름으로 도둑질을 할 때가 훨씬 좋았다.

아니, 서안에서 장물아비 노릇을 할 때도 나쁘지 않았
다. 이런저런 사건에 휘말리기는 했지만 어쨌든 지금보
다는 열 배, 백 배 나았다.

'젠장, 내가 언제부터 남의 일을 걱정했다고……'

그는 여전히 코 고는 소리가 희미하게 들려오는 복도
저편으로 시선을 돌리며 투덜거렸다.

"에라, 모르겠다. 나도 잠이나 자련다."

그는 자리에서 벌떡 일어나 제 침소로 향했다.

                    * * *

설벽린은 겨우 두 시진도 자지 못하고 자리에서 일어나
야 했다. 그는 새빨갛게 충혈된 눈을 비비며 방을 빠져나
와 만해거사와 유 노대를 깨웠다.

"아직 해도 안 떴구면."

두 노인은 머리끝까지 이불을 덮으며 투덜거렸다.

그들이 말을 할 때마다 술 냄새가 홀아비 냄새처럼 풀풀 풍겨 나왔다. 설벽린은 코를 잡은 채 다급한 어조로 말했다.

"급한 일이 생겼습니다. 지금 당장 출발하지 않으면 제 형제들이 크게 다칠 수도 있어요."

그 말에 유 노대가 벌떡 일어났다. 그 역시 다급한 목소리로 물었다.

"화평장에 무슨 일이라도 생긴 게냐?"

반면 만해거사는 늘어지게 하품을 하며 천천히 몸을 일으켰다.

"네 녀석 말로는 네 형제들이 거의 천하무적이라면서?"

설벽린은 창문가로 가서 창을 열고는 조심스레 밖을 살피며 대꾸했다.

"아무리 천하무적이라고 하더라도 한 손이 열 손을 당해내기는 무리잖습니까? 자, 어서들 일어나세요!"

멀리 보이는 별채는 조용했다. 불은 꺼져 있었고, 기척도 전혀 들리지 않았다.

"춥다, 창 닫아라."

만해거사가 툴툴거렸다. 설벽린은 조심스레 창을 닫은 후 이불을 잡아끌며 말했다.

"빨리 좀 일어나시라고요!"

"허어, 이 녀석이 진짜……."

만해거사가 성질을 부리면서 설벽린을 노려보다가 일순 입을 다물었다. 설벽린의 표정에 담겨 있는 절박함을 눈치챈 것이다.

"진짜냐?"

만해거사가 자리에서 일어나며 물었다.

"그리도 급한 일이더냐?"

설벽린은 아무 말 없이 고개를 끄덕이고는 유 노대를 돌아보았다. 어느새 유 노대는 옷을 갈아입은 후였다.

"그럼 바로 출발하죠."

설벽린은 서둘러 밖으로 나왔다.

"아함."

별채를 나선 만해거사가 늘어지게 하품을 했다.

"쉿."

설벽린이 깜짝 놀라며 주의를 주었다. 만해거사의 눈이 휘둥그레졌다.

"왜?"

그는 주위를 둘러보며 말했다.

"뭐, 우리가 조심해야 할 게 있어? 이 한적한 곳에?"

새벽녘의 객잔 후원은 조용했다. 가끔 멀리서 닭 우는 소리가 들릴 뿐, 사람의 기척은 전혀 느껴지지 않았다.

아직 세상 사람 모두가 잠들어 있는 새벽이었다.

그런데 설벽린은 최대한 소음을 내지 않으려고 유난을 떨고 있었다. 당연히 만해거사와 유 노대의 눈에는 그 모습이 이상하게 비칠 수밖에 없었다.

"누구에게 쫓기는 거야? 설마 빚쟁이라도 찾아온 게야?"

만해거사가 반쯤 농담 삼아 물었다.

설벽린은 안색이 창백해진 채로 고개를 저었다. 정말 마음 같아서는 자신의 마음도 몰라주고 계속 나불거리는 저 주둥아리를 쥐어박고 싶었다.

'제, 발, 좀, 조, 용, 히 하, 시, 라, 고, 요.'

설벽린은 소리 없이 입 모양으로 그렇게 말했다. 만해거사는 고개를 갸웃거리며 재차 물어보려 했다.

그때 유 노대가 그의 옷깃을 잡아 이끌었다. 만해거사가 그를 돌아보자 유 노대가 고개를 휘저었다. 설벽린의 말대로 하자는 의미였다.

만해거사는 눈을 동그랗게 뜬 채 설벽린을 쳐다보았다. 여전히 설벽린의 얼굴에는 긴장과 초조, 불안함과 절박한 표정이 창백하게 드러나 있었다.

"흠."

만해거사는 고개를 끄덕였다.

─나중에 설명해 줘야 한다.

일순 설벽린의 귓전으로 만해거사의 전음이 들려왔다.

설벽린은 잠시 그를 바라보다가 살짝 고개를 끄덕인 후 여전히 조심스러운 발걸음으로 후원을 빠져나갔다.

만해거사는 더 이상 입을 열지 않은 채 그의 뒤를 따라 소리 없이 움직였다. 맨 뒤에서 따라 걷던 유 노대가 문득 뒤를 돌아보았다.

역시 후원은 조용했다. 별채는 모두 불이 꺼져 있었다. 사람의 기척은 느껴지지 않았다.

하지만 왠지 모르게 유 노대의 가슴을 서늘하게 만드는 무언가가 그곳에 있었다. 그건 오감(五感)으로 느껴지는 것이 아닌 육감(六感)의 차원에서 전달되는 기분이었다.

그랬다.

확실하지는 않지만, 저곳에 무언가가 있었다. 세상 모든 것을 집어삼킬 정도로 거대한 무엇인가가 잔뜩 몸을 웅크린 채 잠들어 있었다.

유 노대는 지금 설벽린이 무서워하고 두려워하는 게 바로 그것이라고 짐작했다.

끼이익.

문이 열리는 소리에 설벽린이 기겁하며 반사적으로 뒤를 돌아보았다.

일순 유 노대와 설벽린의 시선이 마주쳤다. 그리고 유 노대는 볼 수 있었다, 그의 눈가에 담겨 있는 한없는 공포를.

세 사람은 서둘러 객잔을 빠져나와 곧장 동쪽으로 향했다. 천천히 날이 밝아오는 가운데, 그들은 말없이 단숨에 백여 리를 이동했다.

　아침햇살이 관도 곳곳에 내려앉은 후에야 비로소 만해거사가 설벽린을 부여잡았다.

　"이제 슬슬 무슨 일인지 말해 줘도 되지 않을까 싶은데."

　설벽린은 고개를 저으며 말했다.

　"오백 리 정도 더 달아난 후에 말씀드릴게요."

　만해거사의 눈빛이 달라졌다.

　"달아나?"

　설벽린은 아차, 싶었다. 말이 헛나온 것이다.

　"아니, 아무것도 아닙니다. 진짜 말이 헛나온 것뿐입니다."

　"아니지. 말이 헛나온 게 아니라 네 진심이 불쑥 튀어나온 거잖나?"

　만해거사는 눈을 부라리며 말했다.

　"만약 제대로 된 설명을 하지 못한다면 네 녀석이 두려워하던 그 객잔 별채로 되돌아갈 것이다. 그리고 후원이 떠나가도록 고성을 지르며 노래를 부를 것이야. 그러면 뭔가 알 수 있겠지. 네 녀석이 왜 그리 조심스러워했는지 말이다."

설벽린은 한숨을 내쉬었다.

'지금 누구 때문에 이런 고생을 사서 하고 있는데. 천옥 그 녀석이 바로 사부를 찾고 있기 때문에 그런 거라고요.'

설벽린이 그렇게 속으로 투덜거릴 때, 만해거사는 털썩 제 자리에 주저앉았다. 그리고 팔짱을 끼며 단호하게 말했다.

"제대로 설명해 주지 않는 이상, 이 자리에서 단 한 걸음도 움직이지 않을 게야!"

"허어, 애도 아니고 뭐하는 겐가?"

유 노대가 혀를 차며 나무랐지만 소용이 없었다. 만해거사는 아예 눈까지 질끈 감았다. 설벽린의 설명이 없는한, 듣지도 보지도 말하지도 않을 것 같은 기세였다.

결국 설벽린이 포기하고 말했다.

"좋아요! 그렇게 원하신다면 사실대로 말씀드리죠!"

그는 바락바락 소리쳤다.

"사부께서 죽든 말든 상관하지 않을 겁니다! 아니, 사실 왜 내가 그런 것까지 걱정하고 고민해야 하는데요? 내 코가 석 자인데 말입니다!"

한동안 악을 쓰듯 소리친 설벽린은 조금 마음이 풀렸는지 보다 차분해진 얼굴로 만해거사를 내려다보며 말했다.

"그럼 어디 가까운 다관(茶館)이라도 찾아가자고요. 할 이야기가 제법 기니까 말이죠."

만해거사는 살그머니 눈을 뜨고 설벽린의 얼굴을 요리조리 살폈다. 그가 거짓말을 하고 있지 않다는 걸 알아차린 듯 만해거사는 끄응, 하며 자리에서 일어났다.

설벽린은 다시 한숨을 쉬며 가까운 마을을 찾아 나섰다.

3장.
의발전인(衣鉢傳人)

"정사(正邪)의 구분은 그가 무슨 무공을 익히고
어떤 사부를 모셨느냐에 따라 갈리는 게 아니네.
바로 그렇게 사람을 생각하는 마음,
즉 인정(人情)이 있느냐 없느냐의 차이인 게지."

1. 인정(人情)

한적한 시골 마을의 조그만 다관이었지만, 그곳에서 내온 철나한(鐵羅漢)은 확실한 진품이었다.

묵직하면서도 부드러운 난향이 있었고, 그 맛이 마치 꿀을 넣은 대추차 혹은 누룽지처럼 달고 구수한 것이 상등품의 철나한이 확실했다.

만해거사와 유 노대는 아무런 말 없이 차만 홀짝였다. 설벽린의 이야기가 끝난 지도 제법 시간이 흘렀는데, 그들은 그저 멀뚱거리며 가만히 설벽린을 지켜볼 따름이었다.

결국 답답해진 설벽린이 먼저 입을 열었다.

"아니, 가타부타 뭔가 말 좀 하시라고요. 어젯밤에 있었던 일들을 다 말씀드렸으니까 뭔가 반응을 보이셔야죠."

만해거사와 유 노대는 서로를 돌아보았다. 그리고는 다시 설벽린을 보며 철나한의 차향을 음미했다. 설벽린은 길게 한숨을 내쉬며 고개를 설레설레 흔들었다.

"설마 제가 거짓말을 하고 있다고 생각하는 건 아니시겠죠? 아니면 제 말이 너무 과장되었다고 생각하시던가요. 절대 아닙니다. 있는 그대로, 본 그대로, 조금의 가감(加減)도 없이 말씀드렸거든요."

"누가 거짓말을 한다고 했더냐?"

만해거사가 오래간만에 입을 열었다.

"워낙 믿어지지 않을 정도로 엄청난 이야기라서 잠시 충격을 먹었을 뿐이지."

"그죠?"

설벽린이 눈을 반짝이며 말했다.

"만해 사부께서도 충격을 받으실 만하죠? 그러니 저는 어떻겠어요. 그 자리에서 녀석의 그 무시무시한 무공과 더없이 잔인하고 잔악한 모습을 직접 본 저는 말입니다."

"아니, 나는 그 위천옥이라는 소년에 대해서 이야기를 하고 있는 게 아니다."

"네? 그건 또 무슨 말씀을……."

"네가 우리를 위해서 밤새도록 걱정하고 고민했다는

것이 충격적이라는 게야."

"네에?"

설벽린은 만해거사의 말이 이해되지 않는다는 듯이 눈을 휘둥그레 떴다.

"사실 네 녀석이 그저 말로만 우리에게 사부, 사부 하는 거라고 생각했거든."

"어허, 그만하게."

유 노대가 중간에서 말렸지만 만해거사는 거침없이 말을 이어 나갔다.

"진짜로 존경하고 믿고 신뢰해서가 아니라 그저 무공을 익히기 위해 우리를 사부로 모시는 거라고 생각했다는 게지. 뭐, 나야 그것도 나쁘지 않다고 생각해서 제자로 맞이한 것이지만."

"아니, 유 사부님!"

설벽린이 자리에서 벌떡 일어났다.

만해거사 대신 지목을 받은 유 노대가 당황해하며 그를 쳐다보았다.

"응? 내가 왜?"

설벽린은 그를 노려보며 말했다.

"만해 사부야 절 모르시니 저런 말씀을 하실 수 있다고 칩시다. 하지만 유 사부는 다르지 않습니까? 저와 함께 지낸 지도 벌써 반년이 넘지 않았습니까? 그런데도 아직

저에 대해서 그것밖에 모르시는 겁니까?"

"아, 아니. 내가 무슨 말을 했다고……."

유 노대가 당황하여 어찌할 바를 몰라 했다. 설벽린은
여전히 그를 향해 또박또박 말했다.

"만해 사부가 분명 그리 말씀하셨잖아요? 내가 아니라
우리라고 말입니다. 즉, 유 사부께서도 만해 사부와 어느
정도 의견을 동조하고 있다는 뜻 아니겠습니까?"

"아니야, 그건."

유 노대가 손사래를 쳤다. 그리고는 주위를 둘러보며
설벽린을 향해 손을 흔들었다.

"무엇보다 다른 손님들에게 폐가 되니까 언성 낮추고
자리에 앉게."

"제가 지금 다른 손님들을……."

"행여 이 소문이 밖으로 흘러가서 위천옥이라는 소년
의 귀에도 들어갈지 모르네."

"으음."

일순 설벽린이 흠칫거렸다. 유 노대가 침착하게 말했
다.

"젊은 청년이 공처럼 뚱뚱한 노인에게 만해 사부 운운
했다는 이야기도 그 소문에 포함될 것이고…… 위천옥이
라면 자신을 배신하고 속인 그 젊은 청년을 결코 용서하
지 않을 것 같은데."

"에휴. 협박이십니까?"

"설득이네."

"쳇. 알았습니다. 조용히 하죠."

설벽린은 주위를 둘러보며 자리에 앉았다.

다관 이 층에는 서너 탁자에만 손님들이 앉아 있었다. 그들은 설벽린이 일으킨 느닷없는 소란에 흥미진진한 얼굴로 지켜보다가, 그와 눈이 마주치는 순간 얼른 헛기침을 하며 고개를 돌렸다.

애당초 다관은 차를 좋아하기보다는, 이야기를 하고 수다를 떨고 싶어서 찾는 이들이 많은 곳이다. 차 한 잔 주문해 놓고 이런저런 끊임없는 대화를 하며 한 시진, 두 시진을 보내는 게 그들의 유희였다.

그렇게 말하기 좋아하는 사람들 앞에서 괜한 먹잇감을 줄 필요는 없었다. 그런 의미에서 보자면 진짜 흥미진진한 소동이 되기 전에 설벽린이 냉정을 되찾고 자리에 앉은 건 천만다행이었다.

"좋아요."

설벽린은 철나한 한 모금을 마신 후 침착하게 입을 열었다.

"어쨌든 두 분 사부께서 절 그렇게 냉정하고 제 이익만 챙기는 놈으로 봤다는 건 상당히 충격적인 일이네요."

"난 아니라니까."

유 노대가 낮게 항변했지만 설벽린은 그를 거들떠보지도 않고 만해거사를 향해 물었다.

"혹시 그 위천옥이라는 아이에 대해 아시는 바가 있습니까?"

"전혀."

만해거사는 술을 마시듯 찻물을 비우며 고개를 저었다.

"그래서 불쾌한 게야. 놈은 나에 대해서 상당히 잘 알고 있는데, 나는 놈에 대해서 전혀 모르니 말이지."

"그렇다고 당장 위천옥에게 달려가실 생각은 아니시죠?"

"당연하지. 내가 혈기방장한 아이도 아니고."

만해거사는 팔짱을 끼며 말했다.

"그 아이가 펼쳤다는 허공섭물과 무형살, 그리고 무형강기 모두 최상승의 절기들이니까. 이른바 구파 장문인 급의 무위를 지녔다는 문경(門境)의 경지를 뛰어넘어서 심벽을 깨야만 비로소 펼칠 수 있는 무공들이거든. 아직 나도 그렇게 강기를 자유자재로 펼칠 능력이 없을 정도이니까."

그는 의외로 자신의 능력과 위천옥의 무위를 냉정하게 비교하며 말했다.

설벽린은 문득 지금껏 그를 잘못 보고 있지 않았나, 하는 생각이 들었다.

그저 마음 내키는 대로 말하고 행동하고 살아가는 줄로만 알았던 만해거사에게 이토록 침착하고 냉정한 면이 있을 줄 몰랐다. 즉, 외려 설벽린이 그를 과소평가하고 있었던 것이다.

잠시 생각에 잠겼던 만해거사는 문득 팔짱을 풀고는 자리에서 일어나 설벽린을 향해 허리를 숙였다. 설벽린은 깜짝 놀랐다.

"아니, 왜……."

"미안하네."

만해거사는 진심으로 사과했다.

"처음 본 이후부터 계속 자네에 대해 잘못 판단하고 있었네. 그저 경박하고 조심성 없으며 한없기 가볍기만 한 친구라고 생각했었지."

'으윽.'

설벽린은 움찔했다. 그렇지 않다고 하기에는 왠지 가슴 한구석이 찔려 왔기 때문이었다.

"그런데 외려 자네는 밤잠을 이루지 못할 정도로 나를 걱정해 주고 우리의 안위를 지켜 주려 했네. 미안하네. 그리고 고맙네."

"아휴, 됐어요. 그만 자리에 앉으세요. 다른 손님들이 다들 힐끔거리며 쳐다보잖습니까? 진짜 소문 퍼지겠어요."

설벽린의 구박에 만해거사는 끄응, 하면서 자리에 앉았다. 그리고는 이내 활짝 웃는 낯으로 그를 바라보며 말했다.

"좋아. 오늘부터 정식으로 자네를 내 제자로 맞이하겠네."

설벽린이 입술을 내밀었다.

"그럼 어제까지는 가짜 제자였었나 보네요."

"가짜까지는 아니더라도, 어쨌든 내 비전 절기는 넘겨 주지 않을 생각을 하고 있기는 했네."

만해거사는 싱긋 웃으며 말을 이었다.

"하지만 이제는 다르지. 내 모든 것을 자네에게 전해 줄 것이야. 그 위천옥이라는 아이가 궁금해하고 갖고 싶어 하는 서장 천축의 무공은 물론, 내 내공까지 모두 아낌없이 전해 주겠네. 그러니까 자네는 말 그대로 내 의발전인(衣鉢傳人)이 되는 셈이지."

만해거사의 말에 설벽린이 입을 벌렸다.

의발전인이라는 건 의발(衣鉢), 즉 가사와 바리때를 전해 받는 제자라는 뜻이었다. 적통(嫡統)을 잇는 제자라는 것이고 오직 유일한 전승자라는 의미이기도 했다.

원래 제자는 어떤 가르침을 받고, 어떤 관계를 맺느냐에 따라서 여러 가지로 분류될 수 있었다.

그저 인연이 닿아서 한 수 재간을 얻어 배운 경우에도

스승과 제자의 관계가 성립되는데, 그런 제자를 보통 무기명제자(無記名弟子)라고 부른다.

바로 유 노대에게 있어서 설벽린, 또 소묘아 같은 이들을 두고 그리 말할 수 있었다.

또, 제대로 된 경로를 통해서 정식으로 입문하여 제대로 된 사승 관계를 이룬 제자를 가리켜 기명제자(記名弟子)라 했다.

일반적으로 사부는 여러 명의 제자를 두고 그 제자들의 성격과 자질에 따라 각자 어울리는 무공을 가르쳐 준다.

그리고 그중에서 가장 자질이 뛰어나고 무공 흡수력이 높은 제자를 두고 자신의 모든 걸 전수하니, 바로 그가 의발전인이 되는 것이다.

혹은 사람에 따라 평생 단 한 명의 제자를 두어 그에게 모든 걸 전수하기도 한다.

그렇게 사부의 모든 재간과 기술을 오롯하게 전해 받는 이를 두고 의발전인이라 칭했다.

"만해 사부……."

설벽린은 떨리는 목소리로 중얼거렸다.

여태 그에게 무공을 가르쳐 준 이들은 적지 않았다. 공공아의 기본이 되는 경공술을 가르쳐 준 무림인도 있었고, 암기나 단도술을 가르쳐 준 여협(女俠)도 있었다. 또 근자에는 유 노대도 있었다.

하지만 누구 하나 설벽린을 기명제자로 두지 않았다.

 ─그저 인연이 닿아서 재간 하나를 전해 줄 뿐이다. 굳
이 나를 사부나 스승으로 모시지 않아도 된다.

 설벽린에게 무공을 전수해 준 이들은 하나같이 그렇게
말한 후 길을 떠났다.
 심지어 설벽린의 물건에 흠뻑 빠져서 죽고 못 살아 하
던 여협 역시, 결코 그를 정식 제자로 삼지 않았다.

 ─너는 제자로 삼으면 이렇게 운우지정을 나눌 수가 없
으니까.

 그게 그 여협의 변명이었다.
 그런데 지금 만해거사는 선뜻 설벽린을 자신의 의발전
인으로 삼겠다고 말하는 게다.
 잠시 할 말을 찾지 못하던 설벽린은 툴툴거리듯 말했다.
 "경박하고 소심하며 조심성 없고 한없이 가볍기만 한
데요. 그런데도 의발전인으로 삼겠다고요?"
 "그래. 설령 자네가 경박하고 소심하고 조심성 없고 한
없이 가볍기만 하더라도, 그런 모든 단점을 상쇄하고도
남는 장점을 가지고 있으니까."

"그게 뭔데요?"

"자네의 그 따뜻한 마음씨."

만해거사는 차분한 어조로 말했다.

"물론 자네가 우리를 걱정하고 생각해 주는 것도 고맙고 또 감사한 일이지. 하지만 나는 자네가 그 청루에서 만났던 흑방 사람들의 목숨을 구하기 위해 노력했다는 점을 매우 높이 사고 있네."

설벽린은 가만히 만해거사의 이야기를 듣고 있었다.

"정사(正邪)의 구분은 그가 무슨 무공을 익히고 어떤 사부를 모셨느냐에 따라 갈리는 게 아니네. 바로 그렇게 사람을 생각하는 마음, 즉 인정(人情)이 있느냐 없느냐의 차이인 게지. 그리고 나는 그렇게 인정 넘치는 자네를 제자로 맞이할 수 있게 되어서 영광으로 생각하네."

만해거사의 긴 이야기가 끝났다.

설벽린은 코를 훌쩍거리다가 애써 헛기침을 하며 고개를 돌려 창밖을 바라보았다. 저도 모르게 눈가에 맺힌 눈물을 보여 주기 싫었던 것이다.

2. 화약고와도 같은 상황

유 노대가 웃으며 말했다.

"나도 그리 생각하네. 비록 사문(師門)의 규율과 율법이라는 게 있어서 만해처럼 자네를 정식 제자로 받아 줄 수는 없지만, 그래도 내 의발은 자네에게 전해 주겠네."

"치잇."

설벽린은 볼멘 목소리로 말했다.

"어쩌라고요? 지금 이 자리에서 벌떡 일어나 구배(九拜)를 올릴까요? 다시 한번 정식으로 두 분을 사부로 모시는 예법을 시작할까요?"

투정이었다.

속으로는 좋으면서도 그걸 표현하기가 부끄럽고 쑥스러워서 아무렇게나 내뱉는 투정이었다.

그걸 모를 유 노대나 만해거사가 아니었다. 유 노대가 싱긋 웃으면서 말했다.

"아서라. 괜히 다른 손님들의 눈길을 끄는 일은 하지 말자꾸나."

"그건 그렇고……."

만해거사가 차를 따르며 화제를 돌렸다.

"그 아이가 성도부에 당도했을 때 행여 자네의 의형제들과 부딪칠 수도 있지 않을까?"

"흠, 그것도 생각해 봐야겠군."

유 노대가 동조하며 말했다.

"아무래도 지금 성도부는 화약고와도 같은 상황이니

까. 무적가와 철목가의 대병력이 그곳으로 집결하는 중이고, 거기에다가 그 어린 괴물까지 합류한다면……. 화평장의 안위가 더 걱정되는군그래."

설벽린은 입술을 깨물었다.

지금 유 노대와 만해거사가 이야기하는 내용은 안 그래도 그가 어젯밤 곰곰이 생각하던 것 중의 하나였다.

"그래서 한 가지 생각해 본 게 있는데요."

그는 조심스레 입을 열었다.

"사실 지금 화평장에서 가장 필요한 사람은 만해 사부이거든요."

만해거사가 고개를 갸웃거렸다.

"내가? 왜?"

"아, 좀 더 정확하게 표현하자면 만해 사부가 아니라 만해 사부의 그 의술 실력이겠네요."

설벽린의 말에 만해거사는 눈살을 찌푸렸다.

'그래, 원래 이런 녀석이었지.' 하는 표정이 그의 얼굴 위로 떠올랐다.

"반면 붕방의 노기인들을 찾아서 설득하고 포섭하는 일은 지금 당장이 아니라도 상관이 없고요. 애당초 얼마나 오랜 시간이 걸릴지도 모르는 지난(至難)한 일이기도 하니까요."

"그럼 자네는 우리가 성도부로 가야 한다는 것인가?"

"우리가 취할 수 있는 몇 가지 방법 중의 하나죠. 아니면 예정대로 붕방 노기인들을 찾으러 긴 여정을 떠나던 가요."

설벽린의 말이 끝나기도 무섭게 유 노대가 물었다.

"자네 생각은?"

"저는……."

설벽린은 '두 분 사부의 뜻에 따르겠습니다.'라고 말하려다가 이내 생각을 바꿨다.

"저는 성도부로 돌아가야 한다고 생각합니다."

그는 확실하게 제 생각을 피력했다.

"조금 전에 말씀드렸다시피 붕방 노기인들을 찾는 건 그리 급한 일이 아니니까요."

"흠, 그리고 그건 굳이 우리가 직접 돌아다니지 않아도 되는 일이고."

만해거사가 고개를 끄덕이며 말했다. 설벽린이 살짝 놀란 표정을 지으며 물었다.

"그건 무슨 뜻인지요?"

"아, 몇 다리 걸치면 붕방 옛 동료들과 연락이 닿는다는 뜻이다. 말하기 좋아하고 여기저기 쏘다니는 걸 좋아하는 친구가 있거든. 그 친구만 찾아내면 다른 모든 동료들과 연락이 될 게야."

"그분이 누군데요?"

"나와 같은 의생이지. 또 의술 솜씨보다는 다른 걸로 더 유명한 것도 나와 비슷하다네."

"초 늙은이?"

유 노대가 눈을 동그랗게 뜨며 물었다. 만해거사가 고개를 끄덕이며 말했다.

"맞아. 초 늙은이. 그를 찾으면 대부분의 동료들과 연락이 닿을 걸세."

"초 늙은이가 누군데요?"

설벽린이 답답해하며 재차 물었다. 유 노대가 웃으며 말했다.

"귀영신의(鬼影神醫)라고 하면 알아듣겠나?"

"귀영신의…… 아! 지금 우리가 찾으러 가는 분 말씀이죠? 참마붕방의 순찰당주라고 했던가요?"

만해거사의 눈이 휘둥그레졌다.

"응? 지금 귀영신의 초 늙은이를 찾는 중이었나?"

그랬다.

애당초 설벽린과 유 노대는 담우천이 수년 전에 한 번 야시(夜市)에서 만났던 귀영신의 초유동(草遊童)을 찾으러 화평장을 나선 것이다.

당시 강만리는 귀영신의를 설득하여 동료가 되면 그의 뛰어난 의술 실력은 물론 참마붕방까지 아군으로 만들 수 있을 거라고 생각하고는, 그 막중한 임무를 설벽린과 화군악, 유 노대에게 맡겼다.

하지만 여행 도중 철목가의 대군과 마주치게 되고 화군악은 그 사실을 강만리에게 알리기 위해 중간에서 다시 화평장으로 되돌아갔다.

"허어, 그랬었나? 자네들도 그 초 늙은이를 찾고 있었군 그래. 역시 사람 생각하는 건 다 거기에서 거기라니까."

만해거사는 머리를 긁적거리며 말했다.

"하기야 초 늙은이가 대단하기는 하지. 그 별명에서 알 수 있듯이 의술 실력도 제법 뛰어나고, 또 경공술 역시 천하 일절이라고 할 수 있으니까."

그는 기억을 더듬는 것처럼 눈을 가늘게 뜨며 말을 이어 나갔다.

"과거 언젠가 취몽월영이라는 도둑과 내기가 벌어진 적이 있었지. 누구의 경공술이 더 뛰어난가, 하고 말일세."

설벽린은 하룻밤 사이에 두 번이나 취몽월영의 이름을 듣게 되자 기분이 묘해졌다.

"다들 취몽월영에게 걸었지. 당연한 일이네. 아무리 초 늙은이의 경공술이 뛰어나다 할지라도 취몽월영은 당대 최고의 신투였으니까. 그런데 결과는 놀랍게도 초 늙은이의 승리였다네. 그야말로 한 뼘 차이의, 박빙의 승부였지."

만해거사는 아직도 당시의 흥분이 잊히지 않는다는 듯 상기된 표정을 지으며 말을 이었다.

"뭐 물론 깊이 따지고 들어가면 취몽월영이 항변할 만한 상황이 있기는 했지만, 어쨌든 그는 담담하게 초 늙은이의 승리를 인정했지."

"대단하군요."

설벽린은 얼른 만해거사의 말을 잘랐다. 가만 놔두면 또 몇 시진 동안 과거 이야기를 줄줄이 늘어놓을지 몰랐기 때문이었다.

"그런데 그 귀영신의라는 분을 어디서 찾을 수 있죠?"

"이삼 년 전이었던가? 한 번 날 찾아온 적이 있었다네. 그때 말하기를 야시에서 이런저런 물건들을 사고파는 재미에 빠져 있다더군."

설벽린은 저도 모르게 눈살을 찌푸렸다.

귀영신의 초유당이 야시에서 활동하고 있다는 건 설벽린도 이미 잘 알고 있는 정보였다.

'계속해서 뒷북을 치시네.'

설벽린이 속으로 투덜거릴 때 유 노대가 고개를 갸웃거리며 만해거사에게 물었다.

"며칠 전에 내가 '나 말고 찾아온 이는 없고?' 하고 물었을 때 한 명도 없다고 대답하지 않았나?"

만해거사가 "흐흐." 웃으며 되물었다.

"내가 언제 그리 말했나?"

"응? 분명 그렇게 대답했던 것 같은데……."

"아니지. 어느 누가 감히 연락도 없이 함부로 이곳을 찾아오겠나? 라고 대답했겠지."

"으음, 그럼…… 연락을 하고 왔다는 게야, 초 늙은이는?"

"그렇지. 초 늙은이는 자네처럼 예의라고는 밥 말아 먹은 사람이 아니거든. 하루 전날 정중하게 근처 약초꾼을 통해 배첩을 들려 보냈다네."

"이런."

유 노대는 한숨을 내쉬었다.

만해거사는 정말 성질 고약하고 생뚱맞은 늙은이였다. 그날 초유당의 이야기를 꺼냈다면 얼마나 일이 쉬워졌을까, 하는 생각이 유 노대의 뇌리에서 지워지지 않았다.

그건 설벽린도 매한가지였다.

'정말이지, 어디로 튈지 모르시는 분이라니까.'

설벽린은 내심 그렇게 중얼거리면서 별 기대 없이 물었다.

"어쨌든 그 야시를 찾는 게 문제입니다만, 그에 대해 뭔가 아시는 건가요?"

"응?"

만해거사는 그게 무슨 소리냐는 듯이 눈을 동그랗게 떴다.

"왜 야시를 찾아야 하는데?"

"네?"

이번에는 설벽린이 눈을 동그랗게 뜨며 말했다.

"그야 귀영신의 초 늙은…… 아니, 초 노야를 찾아야 하니까요. 그분이 야시에서 활동하신다면서요?"

"아, 그건 그 전 이야기이고. 지금은 야시에서 활동하지 않을걸? 사람 상대하는 게 지쳤다면서 나처럼 한동안 편히 쉬고 싶다고 했거든, 그때."

"참마붕방의 순찰당주가요? 이야기하기 좋아하고, 사람 사귀는 걸 즐긴다는 그분이요?"

"그래."

만해거사는 고개를 끄덕이며 말했다.

"물론 지금도 이야기하기 좋아하고, 사람 사귀는 걸 즐길 거야. 단지 참마붕방의 순찰당주 노릇을 하면서 이런저런 사건들을 많이 접했나 보더라고. 뭐 초 늙은이도 자세한 건 이야기하지 않았고 나도 굳이 캐묻지 않아서 더 자세한 건 모르겠지만, 어쨌든 사람을 대하고 상대하는 데 진력이 난 것 같더라고."

"호오, 초 늙은이가?"

유 노대가 살짝 놀란 표정으로 중얼거렸다. 만해거사는 다시 고개를 끄덕이며 말을 이었다.

"그래. 내게 한 삼사 년 낚시나 하면서 소일하겠다고 했거든. 그 이후로도 마음이 바뀌지 않았다면 아마 지금

쯤 동정호(洞庭湖) 백귀도(百鬼島)에서 한가로이 낚시를 즐기고 있을 게야."

"아니, 왜 그런 이야기를 이제야 하는 건가?"

유 노대가 타박하자 만해거사가 당연하다는 듯이 되물었다.

"내게 물어보지도 않았잖나?"

두 노인이 티격태격하는 동안 설벽린은 내심 한숨을 내쉬었다.

'동정호라…….'

설벽린은 가볍게 눈살을 찌푸리며 속으로 중얼거렸다.

'군악이 있었으면 기겁을 했겠군.'

과거 동정호에서 설벽린은 화군악을 위해 모종의 일을 도와준 적이 있었다. 그때만 하더라도 이렇게 오대가문과 깊숙하게 얽힐 줄은 전혀 생각하지 못했지만.

설벽린은 곧바로 고개를 홰홰 저으며 상념을 떨쳤다. 그리고 앞으로 해야 할 일들에 대해서 생각한 후 입을 열었다.

"그럼 동정호의 백귀도는 누가 가는 게 나을까요?"

만해거사와 유 노대가 서로를 돌아보았다. 설벽린은 한숨을 쉬며 말했다.

"아니면 귀영신의께서 좀 더 낚시를 즐기라고 하고 우리 셋 모두 성도부 화평장으로 돌아갈까요?"

만해거사와 유 노대가 멋쩍게 웃으며 고개를 끄덕였다. 홀로 동정호의 백귀도를 찾아가 귀영신의 초유당을 설득하는 일보다는 역시 이쪽 일이 더 흥미진진했던 것이다.

"어쩔 수 없죠."

설벽린이 어깨를 으쓱거리며 말했다.

"아무래도 급한 불부터 먼저 끄는 게 나을 테니까요. 그럼 화평장으로 돌아가죠."

"그렇게 하세."

유 노대가 반색할 때였다.

"그런데 말이지."

만해거사가 문득 설벽린을 향해 낮은 목소리로 말을 건넸다.

"진짜 그 애송이가 나보다 강한 것 같더냐?"

위천옥을 말하는 것이리라.

설벽린은 잠시 생각하다가 고개를 끄덕였다.

"네."

"내가 펼친 강기를 보고서도?"

만해거사는 범정산 첩루봉에서 압도적인 도강(刀罡)을 펼쳐서 철목가의 호법 파천쌍창의 머리를 수박처럼 박살낸 적이 있었다.

설벽린은 조심스레 대답했다.

"아무리 생각해 봐도 만해 사부가 이기는 광경이 떠오르지 않아요."

"흐음."

만해거사는 턱을 쓰다듬으며 뭔가 생각하다가 불쑥 입을 열었다.

"날 해부해 보고 싶다고 했던가?"

'이런…… 괜히 그런 것까지 이야기를 했나 보다.'

설벽린은 후회했다.

만해거사가 얼마나 고집불통이고 호승심이 강하며 성격이 괴팍한지 잠시 잊고 있었던 것이다.

그렇게 설벽린이 너무 세세하고 쓸데없는 것까지 이야기한 걸 후회하고 있을 때, 만해거사는 눈을 부릅뜬 채 홀로 다짐하듯 중얼거렸다.

"흠, 좋아. 누가 누구를 해부할지 두고 봐야겠구나. 아주 재미있게 되었어."

그 목소리를 듣는 순간 설벽린은 저도 모르게 전신을 부르르 떨어야만 했다.

3. 제룡사(諸龍寺) 뒤뜰

무려 은자 삼천 냥이라는 거액의 전표를 탁자에 올려놓

고서야 겨우 들을 수가 있었다.

"아마도 늦가을 무렵이었지요. 한밤중에 제룡사(諦龍寺) 주변에서 천지가 무너지는 듯한 굉음이 들리고 사방에서 불꽃이 튀고 도깨비불이 날아다닌다는 신고가 쉴 새 없이 관아로 쏟아졌답니다."

학여춘은 작년 가을 어느 때의 기억을 떠올리듯 지그시 눈을 감은 채 이야기했다.

"뭐 가 보고 말 것도 없이 무림인들이 대판 붙은 게로구나, 하고 직감했지요. 처음에 말씀드렸던 것처럼 당시 성도부는 철목가와 무적가분들이 동시에 출현, 서로를 잡아먹지 못해 으르렁거리고 있었으니까요."

항조군은 마른침을 꿀꺽 삼키며 그 뒷이야기를 기다렸다. 은자 삼천 냥이나 투자한 만큼 제대로 된, 확실한 정보를 얻어야 했다.

"그래서 다음 날 느긋하게 출동을 했죠. 원래 무림의 일에 관아가 참견하는 게 아니니까 말입니다. 그런데 놀랍게도 제룡사 일대에서 떼죽음을 당한 무림인들의 시신이 백여 구가 훨씬 넘게 발견된 겁니다. 허험, 말씀드리기 죄송하지만 철목가와 무적가 무인들이 밤새도록 싸우다가 동귀어진(同歸於盡)을 한 게 아닐까, 생각했습니다."

"으음. 그런 일이……."

항조군은 신음을 흘렸다.

그동안 성도부 전역을 돌아다니며 얻은 정보를 토대로, 대충 그런 일이 있었을 거라고는 예상하고 있었다. 하지만 이렇게 확실한 증인이 나타난 건 이번이 처음이었다.

학여춘이 계속해서 말을 이어 나갔다.

"그 많은 시신을 어찌해야 하나? 고민할 수밖에 없었지요. 시신들을 모두 관아로 가지고 가면 아마 난리가 날게 분명했으니까요. 수많은 보고서와 사유서, 시신 확인을 위한 작업들…… 생각만 해도 끔찍한 일이지요."

무림인들끼리의 다툼이나 싸움은 종종 있었다. 무공을 익히고 병장기를 휘두르는 자들의 싸움이니만큼 결과는 언제나 피비린내가 진동했고 죽은 자들의 시신으로 가득 찼다.

그 시신들을 처리하는데 있어서 관아는 관례와 관습에 따라 '없던 일'로 치부했다.

즉, 시신들의 호패(號牌)나 노인(路印)을 일일이 확인하여 그 죽음을 기록하는 대신, 시신들을 모아 한꺼번에 묻거나 화장(火葬)하는 방식으로 그 시신들의 존재 자체를 지워 버렸다.

"화장을 할까 했지만 워낙 많은 시신들이라…… 결국 포졸들을 동원하여 제룡사 뒤뜰에 커다란 구덩이를 판

후, 피아(彼我) 가리지 않고 그곳에 모두 묻었답니다."

학여춘은 어깨를 으쓱거리며 말을 맺었다.

"그곳을 파 보시면 그 시신들을 찾을 수 있을 겁니다."

바로 그 말이 은자 삼천 냥짜리 정보였다.

이윽고 학여춘과 포두들이 자리를 떴다. 홀로 남은 항조군은 머리를 감싸 쥔 채 고민에 빠졌다.

이 정보를 가지고 철목가주 정극신을 찾아가야 하는지, 갈피를 잡을 수가 없었다.

물론 학여춘을 상대로 보다 많은 정보를 얻어 오라고 지시한 건 정극신이었다.

하지만 이대로 보고를 올린다면 확인도 하지 않은 정보를 가지고 왔다고 버럭 성질낼 것만 같았다. 어쩌면 '두 번의 기회는 없다!'라며 항조군의 목을 벨지도 몰랐다.

정극신은 능히 그러고도 남을 인물이었다.

'그러니 제룡사 뒤뜰에 시신들이 묻혀 있는지 확인부터 하는 게 최선이다.'

항조군은 그렇게 결정을 내리고는 서둘러 별채를 빠져 나왔다. 후원에는 마침 정극신의 명령을 받고 출정 준비를 하는 무적검군과 비룡맹군이 있었다.

항조군은 잠시 망설이다가 그들에게로 달려가 사정을 설명했다. 두 단주(團主)는 침착한 눈빛을 한 채 항조군의 이야기를 끝까지 들었다.

"그러니까 총관은 지금 우리 아이들을 동원하여 제룡사에 묻혀 있을 시신들을 파내자는 것이오?"

무적검군의 질문에 항조군은 고개를 끄덕이며 대답했다.

"그렇습니다. 최대한 빨리 시신들을 파내고 그들의 신분을 확인한다면, 당시 무슨 일이 있었는지 확실하게 알수 있을 겁니다."

"흠, 작년 늦가을 무렵에 묻었으니 지금 즈음이면 다들 백골로 변해 있을 텐데."

무적검군의 말에 항조군이 서둘러 이야기했다.

"아마 옷가지나 병장기는 남아 있을 겁니다. 사실 돈되는 물건들이야 다 그 관아 놈들이 챙겼겠지만 그래도 분명 사실을 확인할 증거들을 발견할 수 있을 겁니다."

"총관 말이 옳은 것 같소, 나는."

비룡맹군이 끼어들었다.

"백골이 되어 있다 하더라도 그 뼈에 새겨진 상흔(傷痕) 등을 통해 당시 상황을 확인할 수 있을 것 같구려."

"알겠소이다. 그럼 그곳에 들렀다가 만인평으로 향하기로 합시다."

두 단주의 의견이 통일되었다.

비룡맹군과 무적검군은 삼백 명의 수하들을 이끌고 항

조군과 더불어 곧장 제룡사로 향했다.

* * *

제룡사는 성도부 북쪽 외곽 지역에 있는, 아주 오래된 폐찰(廢刹)이었다. 건물들은 낡았으며 경내(境內)의 석등과 조형물들은 부서지고 무너져 있었다.

무적가 무사들이 그곳에 당도했을 때는 이미 날이 어두워진 후였다. 무사들은 곧바로 횃불을 만들어 사방을 밝혔다.

"제룡사 뒤뜰이다! 그곳을 파는 게다!"

총관 항조군의 지시에 따라 삼백의 무사들이 일제히 뒤뜰로 달려가 이곳저곳 땅을 파기 시작했다. 얼마 지나지 않아 반응이 나왔다.

"여깁니다!"

무사들 몇몇이 크게 소리쳤다. 항조군과 두 단주가 그곳으로 향했다. 뒤뜰에서도 제일 깊숙한 곳이었다.

이미 많은 무사들이 몰려들어서 땅을 파고 있었다. 횃불 사이로 시신들의 모습이 언뜻 드러났다. 무적검군의 말처럼 이미 백골이 되어 버린 시신들이었다.

하지만 놀랍게도 그 백골들을 본 것만으로 백골의 신분과 정체를 알아보는 이들이 나타났다.

"아아! 이 백골이 누군지 알 것 같습니다! 이 백골의 목에 걸린 패(牌)를 본 적이 있습니다! 광철단 소속 장삼(張三)이 분명합니다!"

"이 백골은 광철단 소속 정인보(鄭寅普)인 게 확실합니다! 비록 누더기가 되었지만, 이 소매의 문양은 정인보가 늘 자랑하던 그것입니다!"

파묻혀 있는 수많은 백골들이 광철단 소속 무사들이라는 사실이 동료 무사들의 증언을 통해서 속속들이 밝혀지고 있었다.

대부분의 시신은 모두 백골이 되어 있었고, 그들이 입고 있던 옷들 역시 누더기가 되었다.

하지만 그래도 광철단을 의미하는 표식이라든가, 혹은 개개인의 취향에 맞게 짠 문양이든가 하는 것들이 남아 있어서 그 백골들이 누구인지 알려 주고 있었다.

"이것들은 무적가 개자식들의 시신인 것 같습니다!"

"무적가로 추정되는 시신들도 적지 않습니다!"

계속해서 보고가 이어졌다.

항조군은 시신들을 둘로 나눠 무적가로 추정되는 백골들과 철목가의 백골들을 분류하라고 지시를 내렸다.

무사들이 파낸 시신들이 한쪽으로 쌓이기 시작했다. 무적검군과 비룡맹군이 다가가 쭈그리고 앉더니 백골들을 일일이 확인하기 시작했다.

항조군은 연신 무사들에게 지시를 내리다가 그들의 모습을 보고는 호기심을 느낀 듯 다가와 물었다.

"무얼 확인하시는 겁니까?"

비룡맹군이 뒤도 돌아보지 않고 대답했다.

"상흔을 확인하는 중이오."

"상흔이요?"

"그렇소. 이런 것 말이오."

　비룡맹군이 뼈 한 조각을 들어 항조군에게 보여 주었다. 썩은 살점이 묻어 있는 뼈는 반쯤 부서져 있었는데, 언뜻 보아도 적잖은 충격을 받은 것 같아 보였다.

"뼈가 부서질 정도의 타격은 중도(重刀)나 도끼도 가능하고, 주먹과 발길질도 가능하오."

　항조군은 눈을 가늘게 뜨고 그 부서진 뼈를 바라보았다. 물론 그는 무적검군이나 비룡맹군처럼 어떤 방식으로 그 뼈가 부서졌는지 알아낼 수가 없었다.

"하지만 무기에 의해 부서진 뼈의 모습과 권각술에 의해 박살 난 건 그 모양새가 상당히 다르오. 또 병장기라 하더라도 좀 더 세밀하게 살피면 칼과 도끼, 망치 등 어떤 병기에 의한 타격인지 알 수가 있다오."

　비룡맹군은 무뚝뚝하지만 자세히 설명해 주었다.

"예컨대 이 뼈는 상당한 열기를 지니고 있는 내가기공(內家氣功)에 의해 부러진 것 같소."

항조군의 눈이 휘둥그레졌다.

"열기까지 알 수 있습니까?"

"아, 그건 이 뼈와 함께 있는 옷자락이 상당히 그을려 있으니까."

비룡맹군의 말에 항조군은 그제야 뼈의 임자가 입고 있던 옷으로 시선을 돌렸다. 곳곳이 삭아 있는 옷자락이었지만 불에 탄 듯 검게 그을린 부분이 확연하게 드러나 있었다.

"옛 유명한 포두는 '시신이 증언한다'라는 명언을 남겼다오. 뭐, 거기까지는 아니더라도 대충 이 시신들을 확인하고 살피면 대충 당시 상황을 그려 낼 수 있을 것 같소."

비룡맹군은 말을 마친 후 계속해서 시신을 살폈다. 무적검군 또한 한 마디 말없이 죽은 자들의 옷자락과 뼈, 부속물 등을 스스럼없이 만지작거렸다.

항조군은 잠시 그들을 지켜보다가 한 걸음 뒤로 물러나며 고개를 돌렸다.

어느새 철목가 무사들은 아무렇게나 뒤엉킨 채 묻혀 있던 시신들을 대부분 발굴한 후 무적가와 철목가의 시신들로 분류하고 있었다. 언뜻 보아도 백여 구가 훨씬 넘어 보이는 시신들이었다.

항조군은 그 광경을 물끄러미 지켜보다가 혀를 내둘렀다.

'믿을 수 없는 일이다.'

이 많은 이들이 동귀어진하다니. 단 한 명의 생존자도 없이 모든 무사들이 동시에 죽음을 맞이하다니.

'일반적인 전투라면 중상을 입든 도망을 치든, 어쨌든 간에 목숨을 부지하고 살아남는 자들이 있기 마련일 텐데.'

왜 이 전투에서는 단 한 명의 생존자도 없었을까.

그만큼 치열한 전투였던 걸까. 그만큼 철목가와 무적가는 적대적인 관계였던가.

항조군이 깊은 상념에 빠져 있는 동안 장내는 어느 정도 정리가 끝났다. 비룡맹군과 무적검군도 더 이상의 조사는 필요 없다는 듯 자리에서 일어나 서로 낮은 목소리로 대화를 나눴다.

세찬 바람이 한차례 불었다. 시신 썩은 내가 코를 진동했다. 항조군은 그제야 퍼뜩 정신을 차리고 주위를 둘러보다가 서둘러 무적검군과 비룡맹군에게로 다가갔다.

"이제 어떻게 할까요?"

항조군이 조심스레 물었다.

비룡맹군은 이미 이야기가 다 되었다는 듯이 망설이지 않고 대답했다.

"시신들의 신분을 확인할 수 있는 증거들만 챙기고 모두 불태우는 게 좋겠소."

"무적가 시신들은요?"

"이미 죽은 시신에 피아(彼我)가 어디 있겠소? 모두 함께 화장시켜 버립시다."

"음, 그게 아무래도 낫겠지요. 그런데 가주께는 뭐라 보고를 드릴까요?"

"예서 보고 듣고 판단한 대로 보고하면 되지 않겠소?"

비룡맹군의 말은 당연했다.

하지만 철목가주 정극신에게는 그 당연한 게 통하지 않을 때가 있었다. 항조군은 어색하게 웃으며 말했다.

"그럼 두 분 단주의 의견이라고 첨언해도 괜찮을까요?"

어떻게든 자신의 책임을 최소화하겠다는 이른바 면피용(免避用) 질문이었다.

비룡맹군은 가만히 항조군을 바라보았다. 항조군은 자신의 속내가 들킨 것 같아 움찔거렸다.

"뭐, 상관없소."

잠자코 있던 무적검군이 무심한 어조로 말했다.

"총관의 보고에 도움이 된다면 그리 말씀하셔도 되오."

항조군의 얼굴이 활짝 펴졌다.

"감사합니다."

4장.
폭설(暴雪)

북쪽 밤하늘을 붉게 물들였던 불길은 폭설과 함께 사라졌고,
이후 주먹만 한 함박눈이 세찬 바람과 함께 퍼붓고 있었다.
망루 난간에 눈이 쌓이는 속도를 보아하니
아마도 내일이면 최소한 무릎까지 눈이 쌓일 것이다.

1. 존재할 수 없는 것

그날 밤.

제룡사 뒤뜰에서 천지를 집어삼킬 듯한 화염이 솟구쳤다. 백여 구가 넘는 시신을 휘감은 불길은 밤하늘 끝까지 닿았고, 검고 매캐한 연기는 제룡사 일대를 지나 성도부 북쪽까지 퍼졌다.

그 지옥의 불길 같은 화염 때문이었을까. 화염이 어느 정도 사그라질 무렵 갑자기 눈이 쏟아졌다. 그것도 주먹만 한 함박눈이 거센 바람과 함께 사방에 휘몰아쳤다.

폭설(暴雪).

그것도 기록적인 폭설이었다.

이내 천하가 새하얗게 물었다. 쌓인 눈이 얼어붙고 그 위로 계속해서 눈이 쌓였다. 불과 한두 시진 만에 눈은 발목을 덮고, 정강이까지 쌓였다.

"아무래도 좋지 않은걸."

제룡사 뒤뜰에서 시신들을 화장한 후 곧장 만인평으로 향하려던 무적검군과 비룡맹군은 앞이 보이지 않을 정도로 쏟아지는 폭설을 바라보며 중얼거렸다.

"이런 날씨에서 행군해 봤자 그리 멀리 가지도 못하겠지. 차라리 눈이 그칠 때까지 푹 쉬다가 가는 게 훨씬 더 나을 것 같은데."

"하지만 가주가 오늘 당장 출진하라고 하지 않으셨나?"

"그래서 좋지 않다는 걸세. 눈이 그칠 때까지 성도부에 남아 있겠다고 하면 불호령이 떨어질 테니까."

"뭐, 가주의 성격이 그런 건 하루 이틀 문제가 아니니까. 그럼 자네는 어떻게 했으면 좋겠나?"

"글쎄. 가장 좋은 건 가주께 아무 보고 없이 눈이 그칠 동안 예서 체력을 보존하는 게 낫지 않을까 싶은데."

"예서?"

무적검군은 주위를 둘러보았다.

절반 이상 무너진 건물들, 금방이라고 귀신이 튀어나올 것만 같은 폐찰. 아직도 시신 태운 냄새가 지독하게 남아 있는 제룡사 뒤뜰.

하지만 지붕이 있고 건물 안에는 불쏘시개를 할 만한 것들이 남아 있으니 하룻밤 추위를 피하기에는 안성맞춤이었다.

"그렇게 함세."

무적검군은 고개를 끄덕였다.

뒤이어 비룡맹군이 손뼉을 치자, 부관들이 달려왔다.

"예서 눈이 그칠 때까지 휴식을 취하기로 한다. 다들 적당한 곳에 자리를 잡고 불을 피워 체온을 유지하도록."

"존명(尊命)!"

부관들은 서둘러 무사들에게로 달려갔다.

삼백 명의 무사들은 폐찰 곳곳에 불을 지피고 몸을 녹였다. 제룡사는 한때 나름대로 유명세를 떨쳤던 사찰인지라 폐찰이 되었다 하더라도 삼백 무사가 옹기종기 모여 눈을 피할 공간은 충분했다.

무적검군과 비룡맹군의 자리도 마련되었다. 부관들의 안내를 받으며 그들은 한적한 건물로 향했다. 아마 주지 스님이 거처했던 곳으로 보이는 조그만 별채였다.

"식사 준비를 하겠습니다."

부관들이 공손하게 인사를 한 후 문을 닫았다. 방에는 이제 무적검군과 비룡맹군만이 남게 되었다.

사십대 중반의 그들은 지난 수십여 년 동안 함께 성장한 동료이자 전우였다. 그래서 다른 단주들보다 훨씬 더 깊은 교류를 나누고 있었다.

"어찌 생각하나?"

평소 말수가 적은 무적검군이 비룡맹군을 향해 오래간 만에 질문을 던졌다.

"조금 이해가 가지 않는 부분이 있기는 하네."

비룡맹군은 부관들이 피워둔 모닥불을 지그시 응시하며 입을 열었다.

"무엇보다 시신의 숫자가 부족해. 광철단만 하더라도 백오십 명이네. 거기에 무적가 무사들의 시신이 대략 삼십여 구, 그렇다면 최소한 백팔십 구의 시신이 묻혀 있어야 했네."

하지만 끝까지 발굴하여 확인한 시신의 수는 모두 백이십칠 구. 물론 두개골의 개수만 따진 숫자이기는 했다.

"더 의아한 건 광철단 백오십 명과 겨우 무적가 삼십여 무사가 동귀어진을 했다는 걸세. 아무리 생각해도 말이 안 되는 부분이네. 무적가 측에 가주나 그에 버금가는 절정의 고수들이 즐비하지 않은 이상, 양패구상은 결코 나올 수 없는 결과라는 게지."

가만히 듣고 있던 무적검군이 불쑥 입을 열었다.

"광철단주의 시신도 보이지 않는 것 같더군."

비룡맹군이 고개를 끄덕이며 말을 받았다.

"아, 맞아. 나도 추 단주의 시신을 확인할 수 없었네.

그의 시신을 찾아서 상흔 등을 확인할 수 있었다면 적이 얼마나 강했는지, 또 어떤 무공을 사용했는지 보다 더 정확하게 알 수 있을 텐데."

"추 단주의 시신도 보이지 않고, 생각보다 시신의 수도 부족하네."

"음, 그럼 자네는 지금 누군가 일부러 시신의 개수를 조절했다는 겐가?"

비룡맹군이 눈을 빛내며 물었다. 무적검군은 잠시 생각하다가 천천히 입을 열었다.

"누군가 우리에게 보여 주고 싶지 않은 시신들만 빼돌렸다면…… 과연 무슨 이유에서였을까?"

"아니, 우선 그런 가정을 한다는 것부터 의아한데? 자네는 진짜 누군가 의도적으로 시신들의 수를 조절해서 묻었다고 생각하는 건가?"

"그럴 가능성이 높다고 생각하네."

"왜? 그렇게 생각하는 근거는? 그냥 시신들의 수가 부족해서? 그건 아니지."

비룡맹군은 고개를 저으며 자문자답했다.

"싸움이 벌어지고 다음 날 관아 사람들이 이곳에 도착했다고 했으니까, 밤사이 들짐승들이 물고 달아난 시신들도 있을 것이고, 또 미처 관아 사람들이 제대로 거두지 못한 시신들도 있을 것이야. 아마 눈에 보이는 시신들만

거뒀을 게 분명해. 자네도 잘 알겠지만 한없이 게으르고 농땡이 피우는 게 관원들이니까."

객관적으로 따지자면 무적검군보다 비룡맹군의 추론이 훨씬 더 확률 높은 일이었다.

그러나 무적검군은 그의 말에 동의하지 않았다.

"그렇게 생각하기에는 증거들이 너무 많이 남아 있었 다네."

"응? 증거들? 그건 또 무슨 소리인가?"

"만약 관원들이 시신을 묻었다면 당연히 돈 되는 것들 은 모두 챙겼을 게 아닌가?"

"그야 당연하지. 그런 짭짤한 부수입도 없이 그들이 왜 시신들을 거뒀겠는가?"

"그런데 의외로 증패니, 노리개니 하는 것들이 많이 남 아 있었네."

"뭐 그야 워낙 많은 시신을 한꺼번에 챙기다 보니 사소 한 것들은 놓쳤겠지. 무엇보다 금낭이나 전대 같은 것, 그리고 칼과 검같이 값나가는 것들은 전혀 보이지 않았 잖아?"

비룡맹군이 거기까지 말할 때였다. 문이 열리고 부관들 이 들어왔다. 그들은 어디서 구했는지 뜨거운 꿩국과 오 리구이를 챙겨 왔다.

"식기 전에 드십시오."

부관들이 다시 나갔다.

비룡맹군은 꿩국을 후후 불어 마시고는 만족스럽다는 표정을 지으며 말했다.

"기특한 녀석들이라니까. 그새 화원객잔의 꿩국까지 준비해 놓았다니."

아마 출정을 준비하면서 비룡맹군이 좋아하는 음식을 미리 준비해 뒀던 모양이었다. 무적검군도 조용히 꿩국을 마시고는 고개를 끄덕였다.

비룡맹군은 오리구이 다리를 찢으며 말했다.

"너무 음모론적으로만 보지 말게. 만약 시체의 수를 숨기려 한 자가 있다면 그들이 중간에서 철목가와 무적가를 몰살시켰다는 추론도 가능해지네."

듣고 있던 무적검군의 눈빛이 살짝 빛났다. 지금 비룡맹군이 어이없어하며 말하고 있는 내용이야말로, 곧 무적검군이 의심하고 있는 부분이기도 했던 것이다.

그런 무적검군의 속내를 전혀 모른 채 비룡맹군은 크게 잘 구워진 오리 다리를 질겅질겅 씹으며 말을 이었다.

"어쩌면 그들의 이간질에 의해 두 가문이 서로 싸웠고 그 틈을 노려 어부지리(漁父之利)의 이득을 챙겼을지도 모르지. 하지만 왜? 무슨 이유로 이간질을 하고 또 그로 인해서 어떤 어부지리를 챙겼을까?"

비룡맹군의 말이 끝났다.

하지만 무적검군은 좀처럼 입을 열지 않은 채 가만히 꿩국만 마시고 있었다.

"흠, 술이 당기는군."

비룡맹군은 꿀꺽, 고기를 삼키며 다시 입을 열었다.

"어쨌든 그래서, 처음으로 돌아가 자네의 그 질문에 굳이 대답을 하자면…… 나도 모르겠네. 만약 그런 자들이 있다면 왜 시신들의 수를 속이고 조절했는…… 아! 그럴 가능성은 있겠군."

비룡맹군은 제 무릎을 치며 말했다.

"그러니까 자기들이 중간에 끼어 있다는 걸 숨기고 싶었는지도 모르지. 그들이 몰래 빼돌린 시신에는 그 증거가 남아 있었던 게야. 가령 무적가의 무공도, 철목가의 무공도 아닌 제삼의 무공이 펼쳐졌다는 흔적 말일세. 뭐 그럴 리는 전혀 없겠지만 말일세."

비룡맹군은 웃으며 말을 맺었다.

믿을 수 없는 일이었다.

소가 뒷걸음질 치다가 쥐를 잡는다고 했던가.

놀랍게도, 비룡맹군이 전혀 있을 수 없는 일이라면서 농담 삼아 말한 그 내용은 기막히게도 그간 강만리 일행이 해 왔던 모든 행동들을 관통하고 있었다.

작년 늦가을 강만리는 화평장을 기습한 무적가, 철목가 무사들을 일망타진한 후 그 시신들을 이곳 제룡사 뒤뜰에 파묻었다.

그리고 이번 계획을 준비하면서 파묻었던 시신들을 발굴하여 화평장의 흔적, 그러니까 암기나 쇠뇌에 당했거나 혹은 강만리의 의형제들에 의해 목숨을 잃은 시신들을 따로 빼낸 후 재차 묻었다.

그 과정에서 화군악의 태극혜검에 의해 죽은 제갈충인과 담우천의 일원검에 의해 목을 관통당한 광철단주 추경광의 시신도 치워졌다.

만약 철목가 측에 눈썰미 뛰어난 자가 있어서, 그 시신들의 상흔을 확인한다면 분명 문제가 될 소지가 있다는 게 강만리의 생각이었던 것이다.

무적검군은 가만히 비룡맹군의 그 엉뚱한 상상을 듣고 있었다. 그가 무슨 생각을 하고 있는지 표정만 봐서는 전혀 알 수가 없었다.

하지만 수십 년 지기(知己)인 비룡맹군은 무적검군의 얼굴을 보고는 피식 웃으며 손을 내저었다.

"그렇게 심각하게 생각하지 말게. 방금 내가 말했던 일이 일어나기 위해서는 존재할 수 없는 것들이 무려 세 개나 있어야 하니까."

무적검군은 살짝 흥미가 당기는 눈빛으로 비룡맹군을 바라보았다. 비룡맹군은 연신 오리 다리를 씹으며 말을 이어 나갔다.

"하나는 광철단과 무적가 무사들을 한꺼번에 해치울 수 있는 능력이지. 세상에 그런 무위를 지닌 사람이나 집단이 있다는 건 아직 들어보지 못했네."

"그럼 두 번째는?"

"굳이 시신들이 묻힌 구덩이를 두 번씩이나 파는 그런 계책을 펼친 건 처음부터 우리가 이곳에 도착할 줄 미리 알고 준비를 했을 것이야. 적어도 우리가 이곳에 당도한 이후에는 이목 때문이라도 구덩이를 파고 시신들을 옮기는 일 따위는 할 수 없었을 테니까."

비룡맹군은 어깨를 으쓱거리며 말을 이어 나갔다.

"자네는 천하의 철목가를 상대로 그렇게 대담한 계획을, 그것도 꽤 오래전부터 준비할 수 있는 사람이나 집단이 있을 거라고 생각하나?"

무적검군은 대답 대신 다시 물었다.

"그럼 세 번째는?"

"총관의 말을 빌자면 이 정보를 관아의 높은 사람이 직접 가지고 왔다고 했지? 그래, 추관이라고 했던가? 추관이라면 관아에서 제일 높은 직급이라고 할 수 있겠지? 만약 음모를 꾸민 자가 존재한다면 그 추관을 포섭해서 우리에게 거짓 정보를 흘렸다는 건데……."

비룡맹군은 고개를 설레설레 흔들며 말을 이었다.

"추관이 우리를 모른다면 몰라도, 우리가 누구인지 알

면서도 과연 그런 일에 협력할 수 있을까? 일개 관원 따위가 그런 담대한 배짱을 지니고 있을까?"

"흠."

"그럴 리 없다고 봐. 아무리 강호무림에 대해 문외한이라 할지라도 오대가문과 태극천맹을 모를 리가 없으니까. 태극천맹을 알고 오대가문을 안다면 그 힘과 위세가 얼마나 대단한지도 잘 알고 있을 테고…… 함부로 우리를 건드렸다가는 삼족(三族)이 멸(滅)하게 된다는 사실도 잘 알고 있을 게야. 그러니 장담하건대, 그런 일은 결코 일어날 수가 없어."

그의 확신에 찬 눈빛과 말투 때문이었을까. 여태까지 계속 의심하던 무적검군도 마침내 고개를 끄덕였다.

"흠, 그렇겠군. 자네 말이 맞네."

비룡맹군이 웃으며 말했다.

"그래. 내 말이 맞을 걸세. 자, 그러니 얼른 식기 전에 먹세. 이 오리구이도 화원객잔에서 마련했나 보네. 정말 맛있게 구워졌다네."

비룡맹군이 남은 다리 하나를 찢어 건넸다. 가만히 다리를 건네받는 무적검군의 눈빛은 한없이 가라앉아 있었다.

2. 호구부당도(好狗不搪道)

휘이이잉!

눈을 제대로 뜰 수 없을 정도로 거센 눈보라가 사위를 뒤덮었다. 시야는 새하얀 장막이 드리워진 것 같아서 한 치 앞의 사물도 제대로 분간할 수 없었다.

폭설이 쏟아진 지 두 시진, 성도부의 밤거리는 인적이 끊겼다. 딱딱이를 들고 다니며 시간을 알리는 야경꾼들의 모습도 보이지 않았다.

불 켜진 건물도 장원도 집도 없었다. 성도부는 사람이 전혀 살지 않는 성시가 되어 있었다.

그 폭설이 휘몰아치는 밤하늘을 가르는 한 가닥 그림자가 있었다.

그림자는 건물의 지붕에서 지붕을 건너뛰며 허공을 날았다. 마치 박쥐처럼, 혹은 날다람쥐처럼 그는 빠르고 소리 없이 성도부의 북쪽에서 남쪽 거리로 이동했다.

얼마나 허공을 날았을까.

어느 한순간 그림자는 허공에서 미끄러지듯 내려와 한 건물의 지붕 위에 안착했다. 검은 그림자는 지붕 위에 낮게 몸을 숙인 채 정면을 주시했다.

불빛 한 점 없는 성도부의 다른 거리와는 달리, 정면에 위치한 건물 곳곳에는 화톳불과 횃불이 밝혀져 있었다.

건물의 정문에는 창을 한쪽 구석에 치워 두고 화톳불에 몸을 녹이는 두 명의 관졸이 있었다.

바로 이곳이 성도부의 치안을 관리하고 책임지는 아문(衙門)이었다.

검은 그림자는 아문의 구조를 확인했다.

사방 높은 담으로 경계를 치고 거대한 직사각형으로 구획된 공간 정중앙에 본청(本廳)이 자리를 잡고 있었다.

본청의 남쪽, 즉 이른바 전당(前堂)이라 불리는 지역에는 육방(六房)의 관청들과 창고, 감옥, 그리고 포두, 포쾌들의 거처가 있었다.

그리고 본청의 북쪽과 그 양옆으로는 많은 관사(官舍)들이 자리 잡고 있었는데, 바로 그 구역을 해(廨)라 불렀다.

해에는 관청의 중요 관원들과 가족들이 임기 동안 머물 수 있게끔 많은 아(衙), 택(宅)이 있어서, 추관은 물론 지부대인이나 동지, 통판들과 그의 식솔들이 함께 그곳에서 생활하는 게 원칙이었다. 또 직급에 따라서 묵을 수 있는 관사의 종류나 규모가 달라지기도 했다.

검은 그림자는 그 관사들이 모여 있는 구역을 집중적으로 관찰하고 있었다.

관청의 중요 인물들이 거처하는 곳이라 그런지 다른 곳에 비해 경비를 선 관졸들의 수가 적지 않았다. 또 무리를 지어 동서, 남북으로 움직이며 순찰하는 조(組)도 세 조가 되었다. 그야말로 물샐틈없는 경비가 이뤄지고 있었다.

검은 그림자는 그 순찰조의 움직임을 한동안 지켜보았다. 그리하여 순찰조가 언제 어느 곳을 지나가는지, 어떤 식으로 방향을 바꾸고 어떻게 순찰을 도는지 머릿속에 각인한 후 곧장 건물의 지붕을 박차고 밤하늘을 날았다.

무려 십여 장 이상의 허공을 가르고 날아가는 검은 그림자의 존재를 눈치챈 관졸은 아무도 없었다.

정문의 관졸들은 화톳불을 쬐면서 음담패설을 하느라 여념이 없었다. 관청 각 지역의 경비를 맡은 관졸들 역시 마찬가지였다.

이렇게 폭설이 휘몰아치는 한밤중에 제대로 사주 경계를 할 리가 없었다. 그들 또한 화톳불 가까이 모여서 발을 동동 구르며 추위를 달래고 있었다.

검은 그림자는 애초 생각한 대로 본청의 북쪽 후당(後堂) 지역의 한 건물 위로 날아내렸다. 기척은 전혀 들리지 않았다. 물론 사소한 기척 따위는 이 거센 폭설 앞에서 신기루처럼 지워질 터였다.

검은 그림자는 고양이처럼 살금살금 움직였다.

경비를 서는 관졸들의 수가 많아졌다. 횃불을 든 순찰조가 빠른 걸음으로 주변을 돌고 있었다.

그러나 누구 하나 검은 그림자의 존재를 인식하지 못하는 가운데, 그림자는 은밀하게 이동하여 목표 지점까지 수월하게 당도할 수 있었다.

검은 그림자의 목표는 이 층 전각, 조그마하지만 개인 정원과 연못까지 마련되어 있는 곳이었다. 물론 검은 그림자는 그곳에 누가 살고 있는지 정확하게 파악하고 있었다.

'추관 학여춘…….'

검은 그림자는 자신이 받은 밀명을 떠올리며 속으로 중얼거렸다.

'내부로 잠입하는 건 그리 어려울 것 같지 않다. 문제는 어느 누구로 변장을 하는가인데……. 역시 그건 내부에서 관찰해야 할 것 같다.'

검은 그림자는 빠르게 결정을 내린 후, 곧장 전각을 구획하는 담 위로 몸을 날렸다. 검은 그림자는 담을 밟자마자 크게 도약하여 전각의 지붕 위로 뛰어올랐다.

바로 그때였다.

'헉!'

검은 그림자는 저도 모르게 크게 숨을 들이켰다.

자신이 뛰어오른 지붕 위, 그곳에 한 명의 백의인(白衣人)이 눈보라 휘몰아치는 가운데 홀로 우뚝 서 있었다.

'분명 인기척을 확인했었는데…….'

전각으로 몸을 날리기 전, 검은 그림자는 전각 곳곳의 기척을 확인하고 살폈다. 그때 잠들지 않고 깨어 있는 기척은 전혀 발견할 수 없었기에 검은 그림자는 안심하고 이곳 전각 지붕 위로 뛰어올랐던 것이다.

'어쨌든…….'

호구부당도(好狗不搪道)라고, 좋은 개는 길을 막지 않는 법이었다.

즉, 지금 검은 그림자의 앞을 가로막고 서 있는 백의인은 결코 좋은 개가 아니었다. 나쁜 개. 악의(惡意)를 지니고 자신을 기다리고 있는 개.

검은 그림자에게 있어서 백의인이 누구인지, 왜 이곳에 서 있는지는 상관없는 일이었다. 그저 그가 자신의 앞길을 막고 있다는 사실이 중요했다.

'아무에게도 들키지 말라고 했으니…….'

역시 아무에게도 들키지 않게, 최대한 빠르게 저 백의인을 해치워야 했다.

물론 자신 있었다.

게다가 날씨도 그의 편이었다. 눈앞이 제대로 보이지 않을 정도로 휘몰아치는 폭설은 검은 그림자가 발출하는 암기를 가려 줄 테니까.

검은 그림자는 백의인에게서 시선을 떼지 않은 채 한 걸음 앞으로 걸어 나갔다.

거리를 좁히면 좁힐수록 유리했다. 그만큼 백의인이 암기를 피하기가 힘들어질 테니까.

검은 그림자는 다시 한 걸음 앞으로 내디뎠다.

'한 걸음만 더.'

여덟 자 반의 거리.

그 간격이야말로 검은 그림자가 가장 자신 있어 하는 만천화우(滿天花雨)의 수법이 천하를 지배하는 거리였다.

검은 그림자는 두 손을 어둠 속에 감춘 채 다시 한 걸음을 내디뎠다. 이로써 검은 그림자와 백의인의 간격은 정확하게 여덟 자 반, 바로 그 순간이었다.

어둠에 가려져 있던 검은 그림자의 두 손이 허공을 가르며 교차했다. 어느새 그의 양손에 쥐어진 수십, 수백 개의 세우침(細雨針)이 일제히 백의인을 향해 쏟아지려는 찰나!

"지독하군."

백의인의 낭랑한 음성이 폭설 사이를 헤집고 들려왔다. 일순 검은 그림자는 얼어붙은 듯 그 자리에 꼼짝하지 못했다. 막 세우침을 날리기 직전의 일이었다.

"통성명도 없이 살수부터 펼치려 하다니 말이지."

백의인은 그렇게 말하며 태연히 걸음을 옮겼다.

검은 그림자가 자신의 거리라고 생각했던 여덟 자 반의

간격이 순식간에 줄어들었다.

'이, 이……!'

검은 그림자는 이를 악물었다.

그는 세우침을 쥔 채 허공을 교차한 채로 멈춰 있는 두 손을 억지로 움직이려 했다.

하지만 그의 몸은 그의 뜻대로 움직이지 않았다. 한순 간 양 손목에 금이 생기나 싶더니 이내 혈선(血腺)이 그 어지면서 툭! 하고 잘려서 지붕 위로 떨어졌다.

검은 그림자의 놀란 눈이 더할 나위 없이 커졌다. 그는 자신의 양손이 절단되었는지도 모르고 있었다.

믿을 수 없는 일이었다.

검은 그림자가 암기를 쥐고 양손을 휘두르려는 순간, 어느새 백의인의 검이 그의 양 손목을 절단한 것이다.

눈에 보이지도 않을 정도의 빠른 쾌검(快劍)!

그 쾌검은 검은 그림자의 손목만 자른 게 아니었다. 검 은 그림자가 본능적으로 도망치려는 순간, 그의 두 발목 이 싹둑! 몸에서 이탈하였다.

"쯧쯧."

백의인이 미소를 지으며 말했다.

"나도 살생은 싫어하는 편이지만 어쩔 수 없다네."

그는 천천히 검을 들어 올리며 말을 이었다.

"날 이곳으로 보낸 사람이, 무슨 일이 있더라도 이곳

노인네를 지켜 달라고 부탁했거든. 그리고 나는 그 부탁을 거절할 수 없는 입장이란 말이지."

백의인의 검이 번쩍! 하고 빛나는 것 같았다. 백의인을 노려보는 검은 그림자의 눈동자에 그 빛이 비쳤다.

"자네를 누가 보냈는지 물어보고 싶지만 자네 또한 필시 나와 같은 처지일 터, 죽어도 입을 열지 않을 거라고 생각하네. 그래서…… 고통 없이 죽여 주는 거라네."

백의인은 검을 검집에 넣으며 말했다.

"그럼 잘 가게, 무명(無名)의 친구."

그의 말과 함께 검은 그림자의 목이 스르르 미끄러지면서 떨어졌다. 세상에 알려져 있는 그의 명성과는 전혀 어울리지 않은 즉사였다.

백의인은 행여 검은 그림자의 목과 신체가 지붕 밑으로 떨어지지 않도록 한쪽으로 모으면서 투덜거렸다.

"쳇. 어쩐지 형님께서 지금 당장! 하고 서두르더라니……. 그새 이런 일이 생기는군그래."

3. 한 시진 전

한 시진 전.
무적검군은 슬그머니 밖에 나갔다가 일각 정도의 시간

을 소비하고 다시 들어왔다. 비룡맹군이 눈을 가늘게 뜨며 그가 자리에 앉는 걸 지켜보다가 불쑥 물었다.

"소피라도 보고 온 건가?"

무적검군은 아무런 말을 하지 않은 채 벽에 등을 기대며 지그시 눈을 감았다.

비룡맹군의 질문이 계속해서 이어졌다.

"아니면 누군가 만나 밀명이라도 내리고 온 건가?"

무적검군은 여전히 아무런 말이 없었으며 표정의 변화도 없었다. 하지만 비룡맹군은 그 미동도 하지 않는 무적검군에게서 뭔가를 읽은 듯 계속해서 말을 건넸다.

"설마 흑우(黑雨)를 부른 건 아니겠지?"

무적검군은 팔짱을 꼈다. 비룡맹군은 어이가 없다는 표정을 지으며 재차 물었다.

"설마 그 추관을 감시하라고 보낸 건가?"

무적검군은 저도 모르게 신음을 흘렸다.

"으음."

"이런."

비룡맹군은 눈을 동그랗게 뜬 채 무적검군을 지켜보다가 한숨을 쉬며 고개를 설레설레 흔들었다.

"아니, 내가 분명히 말했잖은가? 그런 건 결코 있을 수 없는 일이라고 말이지. 그런데 굳이 왜 그 추관에게 사람을 보낸 건가? 만약 추관에게 무슨 일이라도 생기면 차후 어떻게 처리하려는 건가?"

"아무 일도 생기지 않을 것이야."

그제야 비로소 무적검군이 입을 열었다.

"흑우에게는 그저 추관 가까이 몸을 숨긴 채 그가 누구를 만나는지, 일거수일투족을 지켜보라고 지시했을 뿐이네."

"이런……."

비룡맹군은 고개를 설레설레 흔들다가 결국 포기한 듯 어깨를 으쓱거리며 중얼거렸다.

"그래. 흑우라면 그 누구에게도 들키지 않고 추관을 감시할 수 있을 테니까. 자네는 믿지 못해도 흑우는 믿어야겠지."

그의 말에 무적검군은 쓴웃음을 흘렸다.

우우우웅!

문밖에서 눈보라 휘몰아치는 소리가 요란하게 들려오는 한밤중이었다.

* * *

"지독한 폭설이군."

강만리는 쇠뇌가 설치된 북쪽 망루에서 쉴 새 없이 쏟아지는 폭설을 지켜보았다.

망루에서 경계를 서던 경비 무사들에게서 성도부 외곽

지역, 제룡사 일대에서 거대한 불길이 솟구쳤다는 보고를 받자마자 이곳으로 달려온 강만리는 무려 한 시진이 넘도록 그 자리에 서서 상황을 지켜보았다.

북쪽 밤하늘을 붉게 물들였던 불길은 폭설과 함께 사라졌고, 이후 주먹만 한 함박눈이 세찬 바람과 함께 퍼붓고 있었다. 망루 난간에 눈이 쌓이는 속도를 보아하니 아마도 내일이면 최소한 무릎까지 눈이 쌓일 것이다.

"제룡사에서 불길이 일었다는 건 무적가 무사들이 시체를 발굴하고 화장을 한 거겠지."

강만리는 엉덩이를 긁적거리며 혼잣말을 했다.

평소라면 예예나 석정, 혹은 화군악이나 장예추가 옆에 있어서 그의 말을 받아 주고 대화를 나눴을 것이다.

그러나 지금 그의 곁에는 아무도 없었다. 강만리와 조금 떨어진 곳에 두 명의 경비 무사가 그의 눈치를 살피고 있을 따름이었다.

"학 어르신께서 해내신 모양이로구나."

강만리는 문득 학여춘의 얼굴을 떠올리며 중얼거렸다. 문득 그의 얼굴에 그늘이 졌다.

"행여 피해가 가지 않도록 학 어르신의 안위에도 신경을 써야 하는데."

만에 하나 철목가 측에 두뇌 회전이 아주 빠른 모사(謀士)가 있어서 강만리의 계획을 파악하고 그 의중을 읽어 낸다면, 분명 학여춘에게도 피해가 갈 게 분명했다.

아무리 학여춘이 성도부의 추관이라 하더라도 철목가는 자신들에게 거짓 정보를 건넨 그를 용서치 않을 테니까.

"일단은 십삼매에게 부탁해서 주변을 경계해 달라고는 했지만…… 으음, 역시 사람이 부족해. 믿고 맡길 사람이……."

강만리는 입술을 깨물었다.

그때였다.

"형님!"

망루 아래에서 강만리를 부르는 소리가 들렸다.

강만리의 눈빛이 반짝였다. 그는 반색하며 소리쳤다.

"안 그래도 자네 생각을 하던 참일세."

"하하하! 제 도움이 필요하셨나 봅니다!"

경쾌한 웃음소리가 망루 아래에서 들리나 싶더니 이내 망루 위로 사람 하나가 훌쩍 날아올라 강만리의 옆에 착지했다. 날렵하면서도 우아한 경공술이었다.

"늦었네, 정유."

강만리가 투덜거렸다.

한 번의 도약으로 삼 장 높이의 망루를 뛰어넘은 정유는 여전히 빙글빙글 웃으며 말했다.

"늦다니요. 형님 생각해서 하룻밤 자고 올 걸 바로 달려온 건데요."

"그래, 갔던 일은 잘되었고?"

"뭐 정기적인 보고이니까요. 이럴 때는 성도부에 태극천맹의 지부가 없다는 게 확실히 아쉽다니까요. 왜 성도부에 지부를 세우지 않았을까요?"

"그야 자네가 더 잘 알겠지."

"하긴 그렇죠. 하하하."

정유는 유쾌하게 웃었다.

원래 태극천맹의 맹원들은 열흘에서 보름이라는 기간 내에 상부에 정기적으로 보고를 하게 되어 있었다. 물론 그 보고는 대륙 전역에 설치된 백팔 개의 지부 중 한 곳에 들러 증패를 보여 주고 보고서를 작성하면 지부에서 상부, 본산 등으로 대신 전달해 준다.

그런데 기이하게도 이곳 성도부에는 그 지부가 존재하지 않았다. 각 성시는 물론, 어지간한 현(縣)급의 마을에도 태극천맹의 지부가 세워져 있는 걸 생각하면 확실히 쉽게 이해가 가지 않는 일이기도 했다.

어쨌든 그래서 정유는 정기 보고를 하기 위해 성도부에서 약 이백여 리 떨어진 남충현(南充縣)의 태극천맹 지부에 다녀왔던 것이다.

"어쩌면 청성파(靑城派)나 아미파(峨嵋派) 혹은 사천당문이 반대했을 수도 있겠지. 자신들의 영역과 성도부가 서로 겹치니까, 그렇게 가까운 곳에 태극천맹의 지부가 존재한다는 게 왠지 못마땅하다고 여겼을지도 몰라."

"음, 그럴 수도 있겠네요."

"뭐, 어쨌든 그런 건 하나도 중요하지 않으니까. 지금 중요한 건 무적가와 철목가의 일이지."

강만리의 말에 정유의 눈빛이 미세하게 흔들렸다. 놀랍게도 강만리는 그 미미한 흔들림은 놓치지 않았다.

강만리는 무뚝뚝하게 물었다.

"왜? 신경 쓰여?"

"아뇨."

정유가 웃으며 말했다.

"몇 번이고 말씀드렸잖아요. 제게 아버지는 없다고요."

"그래. 알면서 물어본 거야. 하지만 만에 하나 신경 쓰이면 지금이라도 늦지 않았어. 물러나도 좋아."

"지금 물러날 거라면 애당초 합류하지도 않았을 겁니다."

정유는 단호하게 말했다.

"설령 제가 철목가주와 정면으로 부딪치는 일이 생긴다 하더라도 결코 물러서지 않을 겁니다."

그는 잠시 생각하다가 말을 덧붙였다.

"어쨌거나 지금 철목가와 무적가는 태극천맹의 맹주가 내린 지시를 어기고 제멋대로 행동하고 있으니까요. 본산에서도 특단의 대책을 강구하고 있는 줄로 알고 있습니다."

강만리는 정유의 눈치를 살피며 입을 열었다.

"맹주의 지시라면 오대가문은 한동안 강호 출입을 금지하라는 명령 말이지?"

"네. 태극천맹에 적(籍)을 두고 있는 이상 맹주의 명령과 지시는 곧 국법과도 같거든요. 그걸 어긴 이상 그에 합당한 벌을 받아야 합니다. 아무리 상대가 철목가와 무적가라 할지라도 말입니다."

강만리는 턱을 매만지며 중얼거렸다.

"으음, 그 본산이 강구하고 있다는 특단의 조치가 최대한 빨리 이뤄졌으면 좋겠는데. 가령 수천 명을 이끌고 와서 철목가와 무적가 무사들 모두 압송해 간다든가 하는."

"음, 그건 아닐 겁니다."

"아냐?"

"네. 형님의 기대와는 달리 안타깝게도 무력은 동원하지 않을 겁니다."

"저런."

정유의 말에 강만리는 진심으로 아쉬워했다. 정유는 진지하게 말했다.

"지금 이 상황에서 무력을 사용하면 오대가문과의 전면전(全面戰)이 펼쳐질 테니까요. 그 싸움에서 누가 이길지도 모르지만, 무엇보다 그렇게 전면전을 펼치게 되면 애꿎은 이들의 피해가 막심해질 겁니다. 그래서 맹주께서는 최대한 피를 덜 흘리는 선에서…… 으음, 너무 깊게 이야기한 것 같군요."

"흠, 깊게 이야기하기는. 나도 다 알고 있네."

강만리가 팔짱을 끼며 말했다.

"최대한 피를 덜 흘리기 위해서 나와 내 형제들을 이용하고 또 황계의 움직임을 묵인하는 게 아닌가?"

"그렇게까지……."

"됐네. 나도 알고 맹주도 아는 일일세. 서로 이용하고 이용해 먹고 하는 거지. 한두 살 먹은 어린애도 아닌데 그런 것 가지고 불쾌해하거나 화낼 내가 아니니 개의치 말게."

말을 마친 강만리는 가만히 정유를 바라보다가 불쑥 말했다.

"하지만 자네는 달라."

"네?"

정유가 움찔하자 강만리는 노려보듯 그를 직시하며 말을 이어 나갔다.

"자네는 내 형제이니까, 자신의 이익을 위해서 서로 이용하는 그런 존재와는 다르다는 거야. 필요하다면 설령 내 이익을 포기하더라도, 내 안위를 포기하더라도 자네를 도울 걸세. 그게 형제이니까."

"아이고, 참."

정유는 과장되게 몸을 부르르 떨며 웃었다.

"왜 또 이리 소름이 끼치는 말씀을 하시는 겁니까? 안 그래도 폭설이 쏟아질 정도로 날도 추운데요."

"아, 도와 달라고."

강만리는 태연하게 말했다.

"내가 그럴 셈이니까 자네도 나를 도와 달라는 거야. 자네에게 손해가 되는 한이 있더라도."

정유는 피식 웃으며 말했다.

"그러실 줄 알았습니다. 그럼 뭘 도와 드릴까요?"

강만리는 잠시 생각하다가 살짝 고개를 저었다.

그리고 다시 북쪽 하늘로 시선을 돌렸다. 이제 불길의 흔적은 전혀 찾을 수가 없었다. 하늘과 땅 모두 새하얀 눈으로 뒤덮여 있었다.

그 설국(雪國)의 전경을 지켜보던 강만리가 차분하게 입을 열었다.

"며칠 동안 지켜봐 줄 사람이 있네."

그는 정유에게로 시선을 돌리며 말을 이었다.

"물론 지금부터 당장 시작했으면 좋겠고."

역시 성도부 아문 관사에서 누구도 알지 못할 살인 사건이 생기기 한 시진 전의 일이었다.

5장.
살인멸구(殺人滅口)

"그게 세상일이라는 거지."
무적검군은 차분한 어조로 말했다.
"오해는 오해를 낳는 법이고, 내 누명을 벗기 위해서는
다른 사람에게 누명을 씌우는 게 가장 빠른 법이니까."

1. 행군(行軍)

활활 불타올라 영혼마저 내줄 것처럼 뜨거운 사랑을 하다가도, 결국 시간이 흐르고 세월이 지나면 차갑게 식거나 퇴색되거나 혹은 변질된다.

세상 모든 것이 그러했다.

처음에는 영원할 것만 같던 사랑과 우정, 기쁨과 행복, 그 모든 것들은 결국 시간의 흐름에 따라 흐려지고 부식되며 먼지로 변한다.

밤새 쏟아지던, 한없이 그리고 영원히 퍼부을 것만 같았던 폭설도 마찬가지였다.

밤이 지나고 아침이 되자 언제 그렇게 눈이 쏟아졌냐는

듯이 거짓말처럼 그치고 날이 갰다. 여전히 매서운 바람이 휘몰아치기는 했지만, 하늘은 맑고 투명했다. 이제 봄도 얼마 남지 않은 것이다.

제룡사 폐찰에서 하룻밤 묵은 철목가 무사들은 아침이 되어 눈이 그치자마자 곧장 출정 준비를 마쳤다. 그들은 성도부 북쪽 외곽 지역에서 동쪽으로 방향을 선회, 곧장 만인평을 향해 이동하기 시작했다.

삼백 명의 무사들은 하나같이 일류급 이상의 고수들이었다. 그들의 신법은 말처럼 빨랐으며 새처럼 날렵했다. 그들은 평평하게 닦아놓은 관도가 아닌, 숲과 언덕 비탈 등 만인평으로 향하는 지름길을 따라 일직선으로 내달렸다.

오후가 되어 반 식경 가량 식사를 하고 휴식을 취한 그들은 다시 충전된 기력을 바탕으로 만인평을 향해 최대한 빠르게 경공술을 펼쳤다.

무려 여섯 시진 이상을 꼬박 내달리는데도 누구 하나 낙오하는 이가 없었다. 삼백의 무사가 일정한 간격을 두고 종대(縱隊)의 행렬로 질주하는 광경은 아름답다 못해 장엄하기까지 했다.

날이 어두워질 무렵 그들은 인근 숲속 폐가를 찾아 다시 야숙을 청했다.

비룡맹군과 무적검군은 별다른 대화를 나누지 않았다.

비룡맹군은 어젯밤 무적검군이 독단적으로 흑우에게 지시를 내린 게 상당히 불만이었던 것 같았다. 반면 무적검군은 평소처럼 별말을 하지 않았다.

다음 날도 어제와 같은 행군이 시작되었다. 경공술의 행진도 행군이라면 확실히 그렇게 표현할 수 있을 것 같았다. 어쨌든 종대의 열을 맞춘 채 일정한 속도로 진군하고 있는 것이므로.

그날 오후.

빠르게 날은 어두워지고 있었다.

선두에 서서 무사들과 속도를 조율하며 달리던 비룡맹군이 살짝 망설였다.

'하룻밤 더 야숙을 해야 하나? 이제 곧 만인평인데……'

성도부에서 말을 달려도 사흘은 족히 걸리는 만인평이었다. 그런데 믿을 수 없을 정도로 빠르게 달려온 그들은 불과 이틀 만에 만인평 언저리에 당도해 있었다.

아마 밤길을 마다하지 않고 계속해서 달린다면 새벽녘에는 만인평에 도착할 수 있을 것이다.

'하지만 피곤하고 지친 상태에서 그곳에 도착해 봤자……'

적을 만나서 제대로 싸울 체력이 없다면 아무리 빨리 도착해도 소용이 없는 일이다.

확실하지는 않지만 지금 만인평에는 무적가의 고수들과 유령교의 마두들이 뒤엉켜 싸우고 있다고 했다. 그들과 싸우기 위해서는 반드시 충분한 체력과 기력이 필요했다.

그때였다.

"우리 아이들을 너무 무시하는 건 아니겠지?"

불쑥, 무적검군이 말을 건네왔다.

"응?"

비룡맹군은 상념에서 깨어나 그를 돌아보았다. 무적검군은 무뚝뚝한 목소리로 말했다.

"겨우 이틀 정도 달린 것으로 우리 아이들의 기력이 떨어졌다고 생각한다면…… 너무 무시하는 것 같아서 말이다."

비룡맹군은 저도 모르게 쓴웃음을 흘렸다.

아무런 말도 하지 않았다. 그저 살짝 걱정스러운 눈빛으로 뒤를 돌아보았을 뿐이고, 또 심각한 표정을 지은 채 상념에 빠져 있었을 따름이었다.

그런데 무적검군은 귀신처럼 비룡맹군의 속내를 읽고 그렇게 말을 하는 게다. 역시 거의 평생을 함께해 온 벗이자 전우였다.

"그래, 내가 잘못 생각했네."

비룡맹군은 고개를 끄덕이며 말했다.

"겨우 하루 이틀 내달린 거로 걱정하다니, 우리가 그렇게 허투루 키운 녀석들이 아닌데 말일세."

"내 말이 그 말이야."

무적검군이 희미하게 웃었다. 비룡맹군은 다시 한번 고개를 끄덕인 후 뒤를 돌아보며 크게 외쳤다.

"만인평이 멀지 않았다! 최대한 빨리 그곳에 도착하여 휴식을 취하기로 한다!"

"존명!"

삼백의 무사가 동시에 소리쳤다. 절로 가슴 진동시키는 함성은 매서운 바람을 타고 우렁우렁 사방으로 퍼졌다.

그 함성을 뒤로한 채, 다시 삼백 무사가 일제히 경공술을 펼치는 행군이 시작되었다. 언제까지고 지치지 않고 내달릴 것 같은 무시무시한 기세였다.

하지만 세상 모든 일이 생각대로 되는 건 결코 아니었다.

                    * * *

어둠은 금세 내려앉았다.

먹물을 뒤집어쓴 듯한 암흑이었다. 별빛도 달빛도 먹구름에 가려져 한 치 앞 상황도 제대로 확인할 수 없었다.

하지만 무사들은 횃불이나 화통도 들지 않은 채 오직 앞사람의 기척에만 모든 신경을 집중한 채 달리고 있었다.

게다가 발밑은 온통 눈밭이었다.

이틀 전 내린 눈이 무릎까지 쌓여서 어지간한 사람이라면 제대로 걷기조차 힘든 상황에서 지금 이 삼백의 무사들은 거의 한나절 동안 쉬지 않고 경공술을 펼치고 있었다.

초상비(草上飛)나 답설무흔(踏雪無痕)의 경지가 아닌 한에야 경공술을 펼치려면 어떻게든 지면을 밟고 내차야 했다. 그런데 발을 한 번 디딜 때마다 쑥쑥 눈밭에 빠지는 상황이니, 일반적인 경우보다 경공술을 펼치기가 열 배는 더 힘들고 어려울 수밖에 없었다.

앞이 보이지 않는 어둠과 무릎까지 빠지는 눈밭.

무사들의 체력과 기력이 급속도로 소진되는 건 당연한 일이었다.

'이런, 한밤중의 눈밭을 달리는 걸 너무 얕봤군.'

비룡맹군이 혀를 차며 걸음을 멈췄다. 나름대로 속도를 조절한다고는 했지만, 그와 무사들의 거리는 약 백여 장 정도 떨어져 있었다.

"미안하네. 오판했어."

그의 곁에서 나란히 멈춘 무적검군이 살짝 머쓱한 표정을 지으며 사과했다.

"아니, 나도 잘못 생각했네. 저 녀석들은 신경 쓰지 않고 내 생각만 했으니까."

사실 비룡맹군이나 무적검군에게 있어서 이 정도의 눈밭은 평지나 다를 바가 없었다.

이미 내공이 노화순청(爐火純靑)의 경지에 오른 그들에게야 굳이 초상비니 답설무흔이니 하는 경공술을 펼치지 않아도, 능히 그것과 비슷한 수준의 경공술을 사용할 수가 있었다.

다만 그런 자신들에 비해 수하들의 내공이 그 수준에 도달하기에는 현저하게 부족하다는 걸 잠시 잊고 있었던 것이다.

"아무래도 잠시 쉬어야겠군."

"그래. 만인평까지는 이제 거의 다 왔으니까."

두 사람이 그렇게 의견을 나누는 순간이었다. 누가 뭐라고 할 것 없이 두 사람의 눈빛이 동시에 급변했다.

그들의 귀가 쫑긋거렸다. 모든 신경이 귀에 집중되었다.

챙!

멀리서 병장기 부딪치는 듯한 소리가 희미하게 들려왔다. 정신을 집중하자 그 쇠와 쇠가 부딪치며 내는 파열음들이 마치 물결의 파문처럼 계속해서 두 사람의 귓전으로 밀려들었다.

"사백 장?"

"동남쪽?"

비룡맹군과 무적검군은 동시에 서로를 보며 물었다. 그리고 동시에 고개를 끄덕이며 또 말했다.

"난전(亂戰)이군."

"백여 명은 족히 될 것 같은데?"

"보이나?"

"아니, 아무래도 숲에서 싸우는 것 같네. 청명한 게 아니라 뭔가 울리는 듯한 소리인 걸 보면."

사방이 탁 트인 공간에서 전해지는 소리는 청명하다는 표현이 어울릴 정도로 맑고 직선적이었다.

하지만 뭔가 방해물에 의해 주변이 막힌 상태에서 들려오는 소리는 그 방해물에 부딪히면서 생기는 파열음과 균열로 의해 하나의 소리가 여러 차례 울리면서 들려온다.

비룡맹군은 놀랍게도 사백 장 이상 떨어진 곳에서 들려오는 그 소리의 미세한 다름을 정확하게 파악하고 있었다.

마침 그때 두 단주의 부관들이 뒤늦게 달려왔다. 단주들을 따라잡느라 숨이 턱까지 차고 얼굴에 땀이 흥건한 상태였다.

비룡맹군이 그들을 향해 지시를 내렸다.

"이곳에서 이각 동안 휴식을 취하라고 전해라."

부관들이 살짝 당황해하며 물었다.

"어디 가십니까?"

그들은 두 단주들과 달리 사백여 장 밖에서 들려오는 병장기 소리를 듣지 못하고 있었다.

비룡맹군은 무적검군을 돌아보며 말했다.

"나와 이 친구는 잠깐 다녀올 데가 있다."

무적검군이 불쑥 입을 열었다.

"이각 안에 돌아올 것이다."

비룡맹군이 가볍게 눈살을 찌푸리며 그의 말을 정정해 주었다.

"이각 안에 연락을 취할 테니 이곳에서 편하게 휴식을 취하고 있도록. 아, 불을 밝힐 수 있으면 그렇게 하고. 뜨거운 국물이 있으면 그것으로 몸도 녹이게 해 주도록."

"존명."

부관들이 허리를 숙였다.

지시를 마친 비룡맹군과 무적검군은 곧장 동남쪽 방향으로 신형을 날렸다. 이내 두 사람의 신형이 어둠 속으로 사라졌다.

부관들은 혀를 내둘렀다.

지금 두 단주가 펼친 경공술은 지금까지 그들이 보여 주었던 그것보다 배 이상은 빨랐다. 역시 자신들과 보조를 맞추느라고 제 실력을 전혀 발휘하지 않았던 것이다.

2. 격동(激動)

귓전으로 바람이 매섭게 스쳐 지나갔다.

그들의 발끝이 눈밭의 표면을 미세하게 걷어차고 사라졌다. 걷어차인 눈이 분진(粉塵)이 되어 사방으로 흩어졌다.

순식간에 백여 장의 거리를 내달렸다. 희미하게 들려오던 병장기 부딪치는 소리가 좀 더 명료해졌다. 아울러 사람들의 고함 소리와 비명, 신음도 여기저기에서 들려왔다.

두 사람은 더욱 내공을 끌어올려 속도를 높였다. 옷자락이 펄럭이고 머리카락이 미친 듯이 나부꼈다.

다시 백 장, 또 백 장의 거리가 순식간에 좁혀졌다. 두 사람이 숲으로 뛰어든 순간, 이제 싸우는 소리가 확실하게 들려왔다.

사람들은 숲속 곳곳에 흩어져서 싸우고 있었다. 생사를 건 치열한 전투가 사방에서 펼쳐졌다.

그때였다.

"저건?"

비룡맹군이 갑자기 경공술을 멈췄다. 무적검군도 함께 경공술을 멈추며 비룡맹군의 시선이 향하는 곳으로 고개를 돌렸다.

왼쪽, 벌거벗은 나무들이 층층으로 얽혀 있는 저편, 그곳에 주먹만 한 불덩이 두 개가 허공을 날아다니고 있었다.

그걸 본 비룡맹군이 저도 모르게 중얼거렸다.

"화염구(火焰球)?"

화염구.

열화신공(熱火神功)을 손바닥 위로 끌어올려 공 모양으로 구현시키는, 무적가의 성명절기가 바로 그 화염구였다.

내공이나 숙련도에 따라서 화염구의 크기가 달라지고 개수도 달라지는데, 어쨌든 손바닥 위에 구현한 화염구를 던졌다가 회수하는 식으로 싸우는 방식은 어느 누구나 동일하다 할 수 있었다.

지금도 그러했다.

숲 저편으로 보이는 두 개의 화염구는 허공을 날아다니며 누군가를 공격하고 다시 주인에게로 돌아갔다.

그리고 상대는 검으로 보이는 병장기를 휘두르며 화염구를 튕겨 내면서 조금씩 거리를 좁히는 중이었다.

"젠장! 나무들 때문에 제대로 보이지 않는군."

비룡맹군이 투덜거렸다.

가뜩이나 별빛 한 점 없는 밤이었다. 화염구의 불길만이 허공을 휘돌고 있었다. 상대가 누구인지, 화염구를 조종하는 자가 누구인지 전혀 보이지 않았다.

"조금 더 가까이 가세."

비룡맹군은 조심스레 발을 놀렸다.

저 정도 크기의 화염구 두 구를 운용할 정도라면 비룡맹군이나 무적검군에 비해서 절대 떨어지지 않는 고수일 것이다. 최소한 무적가의 장로급에 해당하는 고수가 지금 저기 있었다.

또 그런 절정의 고수를 상대로 수십 합이나 버티고 있는 상대 역시 결코 만만한 인물이 아니었다. 그러니 비룡맹군들이 자칫 조그만 소음이래도 낸다면 저들의 이목을 끌 게 분명했다.

두 단주는 소리 없이 수풀을 헤치며 앞으로 나아갔다. 이제 몇 걸음만 더 가면 치열하게 싸우고 있는 전투의 현장 가까이 다가갈 수 있었다.

그때였다.

한 무리의 사람들이 갑작스레 전투 현장으로 뛰어 들어왔다. 비룡맹군과 무적검군은 황급히 근처 수풀에 몸을 숨기며 상황을 지켜보았다.

새로 등장한 이들은 십여 명 정도 되는 무사들이었는데 마침 횃불을 들고 있어서 그 면면을 확인할 수가 있었다.

'역시 무적가로구나!'

비룡맹군은 속으로 중얼거리며 크게 고개를 끄덕였다.

일단의 무리들과 저 화염구를 운용하는 이는 하나같이
무적가 특유의 무복을 입고 있었다.

"도와 드리겠습니다!"

새로 등장한 무사들은 크게 소리치며 상대방을 향해 공
격을 감행했다.

비룡맹군의 눈가에 살짝 이채의 빛이 스며들었다.

저 무적가 절정의 고수를 상대하고 있는 자는 의외로
삼십 대의 젊은 사내였다. 검은 무복을 걸친 사내는 갑작
스레 무적가의 원군이 나타났음에도 불구하고 전혀 흔들
리지 않은 채 유령처럼 보법을 밟으며 귀신처럼 검을 휘
둘렀다.

'유령신마보(幽靈神魔步)…… . 저 청년은 유령교의 사
람이로구나!'

비룡맹군은 침을 꿀꺽 삼켰다.

성도부에서 도망친 무적가 사람들을 유령교의 마두들
이 뒤쫓고 있다는 정보가 거짓이 아니었던 게다.

그는 흥미진진한 눈으로 유령교와 무적가의 싸움을 지
켜보았다.

바로 그 순간이었다.

"여기 있었구나, 제갈보광!"

분노의 고함과 함께 밤하늘 높은 곳에서 엄청난 위력의
일격이 쏟아졌다.

콰앙!

격렬한 폭음이 일었다. 수풀이 흔들리고 지면에 커다란 구멍이 생겼다. 그야말로 수천 근 화약이 한꺼번에 터진 듯한 광경이었다.

"으악!"

"아악!"

비명이 연달아 터졌다.

그 엄청난 폭격에 당한 무적가 무사들이 사방으로 나가 떨어지며 내지른 비명이었다.

비룡맹군과 무적검군도 깜짝 놀라 몸을 숨겼다. 방금 그 경천동지한 일격은 그들조차 쉽게 감당할 수 없을 정도로 파괴적인 위력을 지니고 있었다.

그건 무적가의 고수도 마찬가지였나 보다. 허공에서 느닷없이 쏟아진 일격에 내공이 흩어진 듯, 두 구의 화염구는 신기루처럼 사라졌다.

그때, 뒤늦게 한 명의 흑의인이 밤하늘을 가르고 천천히 날아 내려왔다. 방금 그 압도적인 일격을 퍼부은 장본인이었다.

비룡맹군은 낮게 몸을 웅크린 채 그 흑의인을 쳐다보았다. 비룡맹군이나 무적검군과 그리 나이 차가 없어 보이는 중년인이었다.

비룡맹군은 저도 모르게 마른침을 꿀꺽 삼켰다. 손속을

나눠 보지 않아도 알 수 있었던 게다.

저 흑의 중년인, 결코 내 하수가 아니다.

'세상은 넓고 고수는 많다더니…….'

세상에는 이렇게 얼굴도 모르고 이름도 모르는 절정의 고수가 넘쳐나는 것이다.

반면 제갈보광이라 불린 무적가 절정 고수는 비룡맹군 도 익히 들어 알고 있는 유명인이었다. 전대 가주 제갈보 국의 육촌 아우로, 행동에 거침이 없고 손속이 냉정하기 로 이름난 자였다.

"도망치십시오!"

"이곳은 우리가 맡겠습니다!"

비명을 지르며 나가떨어졌던 무적가 고수들이 벌떡 일 어나더니, 다들 하나같이 외치면서 일제히 흑의 중년인 을 향해 덤벼들었다.

자신들의 목숨을 담보로 제갈보광이 안전하게 도주하 게끔 시간을 벌겠다는 뜻이었다.

"미안하구나."

제갈보광은 그렇게 중얼거리고는 사방을 둘러보았다.

적은 단 둘이었지만 그들의 무위는 결코 제갈보광의 밑 이 아니었다. 또 무적가의 원군이 당도한 것처럼 언제 유 령교의 잔당들이 나타날지 몰랐다.

이대로 싸우면 파멸이라고 생각한 듯 제갈보광은 곧장

지면을 박차고 신법을 펼쳤다. 공교롭게도 그가 몸을 날린 방향은 비룡맹군과 무적검군이 몸을 숨긴 수풀이었다.

이내 제갈보광이 그들을 향해 날아들었다.

'이런!'

너무나 뜻밖의 상황에 비룡맹군이 당황하는 순간, 제갈보광도 비룡맹군과 무적검군의 기척을 발견했다.

"이곳에도 매복하고 있었구나, 이 빌어먹을 유령교 놈들!"

제갈보광은 두 단주를 향해 버럭 소리치며 쌍장을 휘둘렀다. 무적가의 장로급 고수답게 결코 방심할 수 없는 막강한 기세의 장력이 거칠게 밀어닥쳤다.

워낙 급박한 상황이었다. 피하고 말고 할 시간이 없었다. 비룡맹군은 본능적으로 쌍장을 뻗어 상대의 장력에 맞섰다.

파앙!

거친 파공성이 그의 쌍장에서도 발출되었다. 무적검군도 어느새 빼 든 검을 휘둘렀다.

날카로운 검기가 빛무리를 일으키며 허공을 그었다.

장력과 장력이 허공 한가운데에서 부딪쳤다.

콰앙!

고막이 터질 것 같은 굉음과 함께, 날아들던 제갈보광이 피 분수를 터뜨리며 튕겨져 나갔다.

속절없이 허공을 날던 제갈보광이 쿵! 소리가 나며 수풀 저편으로 추락했다.

"장로!"

"단주!"

　흑의인들과 싸우던 무적가 무사들이 피눈물을 흘리며 달려가려 했다. 하지만 흑의인들은 그들을 쉽게 놓아주지 않았다.

"어딜!"

　낭랑한 목소리와 함께 젊은 흑의인이 검을 휘둘렀고 중년의 흑의인도 주먹을 뻗었다. 순식간에 서너 명의 무적가 고수들이 쓰러졌다.

　그렇게 무적가 고수들이 몰살을 당하나 싶었는데, 또다시 수십 명의 무적가 고수들이 우르르 몰려들었다. 조금 전 흑의 중년인이 쏟아냈던 폭음을 듣고 달려온 무적가 측의 원군들이었다.

　그들 중 일부는 흑의인들을 상대하기 위해 앞으로 달려나갔다. 또 일부는 수풀 저편에 쓰러진 제갈보광을 향해 달려갔다.

"장로께서 돌아가셨다!"

"아아! 빌어먹을 유령교 놈들! 모두 죽여 버리겠다!"

　새로 나타난 무적가 무사들이 흥분하여 날뛰려 할 때, 기존의 무적가 고수들이 비룡맹군과 무적검군이 있는 수풀을 가리키며 소리쳤다.

"저기 매복해 있다!"

"저곳에 숨어서 기습을 펼친 거라고!"

이내 모든 무적가 고수들의 시선이 두 단주가 있는 수
풀 쪽으로 향했다.

'이런 젠장······.'

워낙 순식간에 많은 일이 연거푸 터지다 보니 비룡맹군
은 당황하여 어찌할 바를 몰라 했다. 무적검군 또한 핏물
이 묻어 있는 검을 쥔 채 우뚝 서 있었다.

"죽여라!"

"복수하자!"

그들을 발견한 무적가 고수들이 일제히 달려들었다.

바로 그때, 그중의 누군가가 비룡맹군과 무적검군을 알
아봤다. 그는 놀라 소리쳤다.

"아니, 저들은 철목가의 비룡맹군과 무적검군인데?"

3. 오해와 누명

비룡맹군은 저도 모르게 움찔거렸다. 예서 자신들을 알
아보는 이가 있을 줄은 상상조차 하지 못했다.

"비룡맹군과 무적검군이다!"

그 고함은 곧 연쇄 반응을 일으켰다.

"뭐라고? 그럼 철목가 놈들이 장로를 암살했다는 거냐?"

"철목가와 유령교가 손을 잡고 있었던 거로구나!"

사방에서 한마디씩 보낸 말들이 삽시간에 걷잡을 수 없을 정도로 커졌다. 소문이라는 게 이런 식으로 퍼지는구나, 라는 걸 실시간으로 보고 느낄 수 있는 광경이었다.

하지만 마냥 놀라고만 있을 때가 아니었다. 소란을 듣고 사방에서 모여든 무적가 무사들의 수가 점점 늘어났으며, 그들은 이제 유령교가 아닌 비룡맹군과 무적검군을 원수로 여기고 덤벼드는 것이었다.

"복수다! 철목가 놈들에게 복수해야 한다!"

"놈들이 우리 장로를 암살했다!"

그들은 구호처럼 함성을 내지르며 비룡맹군과 무적검군에게 덤벼들었다.

비룡맹군은 쌍장을 정신없이 휘갈겼다.

펑! 펑! 펑!

쇠북 두드리는 소리가 쉬지 않고 울려 퍼졌다.

무적검군이 검을 휘두를 때마다 피에 젖은 붉은 섬광이 일었다. 비명 소리가 계속해서 들려왔지만 비룡맹군과 무적검군을 죽이자는 함성이 훨씬 더 크고 요란하게 숲속에 울려 퍼졌다.

비룡맹군이 거칠게 쌍장을 휘두르며 다급한 어조로 무적검군에게 말했다.

"안 되겠다. 우선 자리를 피하고 보세."

중과부적(衆寡不敵)이었다.

자칫 무적가 무사들에게 둘러싸이기라도 한다면 그야말로 문제가 될 수 있었다.

게다가 유령교의 마두들도 아직 건재하지 않던가. 그들이 어떻게 나올 줄은 아무도 몰랐다. 어쨌든 유령교의 입장에서 보자면 철목가 역시 그들을 핍박하고 없애려 했던 태극천맹의 일원이었으니까.

무적검군도 비룡맹군과 같은 생각이었다. 그는 내공을 운기하는 동시 크게 검을 휘둘렀다. 새빨간 혈광(血光)이 만(卍)자를 그리며 뻗어 나갔다.

"으악!"

"악!"

선두에서 덤벼들던 무적가 무사들 몇몇이 비명을 찌르며 쓰러졌다.

하지만 그들은 곧 이를 악물며 몸을 일으켰다. 가슴팍이 갈라지고 허벅지를 베여서 피가 철철 흘렀지만, 그들은 결코 도망치지 않았다. 아니, 더욱 악을 쓰며 두 단주를 향해 마구잡이로 공격을 퍼부었다.

"젠장! 가세!"

비룡맹군이 지면을 향해 쌍장을 휘둘러 대며 소리쳤다.

펑! 펑! 펑! 펑!

연달아 타격음이 터지고 무릎까지 쌓였던 눈밭이 사방으로 흩어지며 시야를 가렸다. 마치 한 치 앞을 분간할 수 없는 안개가 자욱하게 깔린 듯했다.

그 틈을 타고 비룡맹군과 무적검군은 지면을 박차고 자리를 빠져나왔다. 경공술을 펼쳐 순식간에 거리를 벌리던 무적검군은 문득 뒤를 돌아보았다.

눈안개가 사라지는 가운데, 저 멀리 흑의 중년인이 무적검군을 응시하고 있었다.

더 없이 차갑고 냉정하며 무심한 눈빛. 무적검군은 잠시 그 눈빛을 응시하다가 고개를 돌리고 밤하늘을 날아 허공 저편으로 자취를 감췄다.

비룡맹군과 무적검군이 돌아온 건 이각의 시간이 채 흐르기 전이었다.

그 짧은 시간 동안 두 단주는 정신을 차릴 수 없을 정도로 수많은 일을 보고 듣고 경험했다. 또한 수십 명의 무적가 무사들과 한바탕 전투까지 벌이고 돌아온 것이다.

"무슨 일이 있으셨습니까?"

휴식을 취하고 있던 부관들이 그들을 보고는 깜짝 놀라

며 자리에서 일어났다.

"그 피는……."

부관들은 두 단주의 옷 여기저기에 묻은 피를 보고는 놀라 말을 더듬거렸다.

"괜찮다. 우리 피는 아니니까."

비룡맹군이 호흡을 가다듬으며 물었다.

"다들 푹 쉬었느냐?"

"네. 뜨거운 국물과 말린 고기로 체력을 회복했습니다."

"좋아. 그럼 당장 모두 집결시켜라! 상대는 무적가, 그리고 유령교다."

일순 부관들의 얼굴에 긴장의 빛이 스며들었다. 비룡맹군이 가볍게 눈살을 찌푸리며 말했다.

"그리 긴장할 것 없다. 그들의 수는 우리보다 훨씬 적으니 정신만 똑바로 차리고 그간 훈련한 대로 움직이면 낙승을 거둘 수 있을 것이다."

"존명!"

"존명!"

크게 대답한 부관 중 하나가 조심스레 물었다.

"그런데…… 무적가 무사들을 해치워도 괜찮겠습니까?"

유령교의 잔당들이야 사마외도의 무리이니 해치우는 게 당연했다. 아예 몰살을 시켜 두 번 다시 재건할 수 없도록 만드는 게 최선이었다.

하지만 무적가는 조금 달랐다.

비록 철목가와 무적가 무사들이 한데 뒤엉켜 죽은 시신
들의 무덤을 발굴하기는 했지만, 그래도 어디까지나 무
적가는 아직 철목가의 우군(友軍)이라 할 수 있었다. 그
러니 유령교처럼 마구잡이로 해치운다는 것이 아무래도
마음에 걸리는 게 당연했다.

"흐음."

비룡맹군은 팔짱을 꼈다.

사실 그와 무적검군이 무적가의 제갈보광만 죽이지 않
았더라도 중간에서 타협점을 찾을 수 있었을 것이다. 우
선 서로 힘을 합쳐 유령교를 몰살한 다음, 광철단에 대한
이야기를 꺼내 볼 수도 있었다.

하지만 이제는 상황이 달라졌다.

무적가는 철목가와 결코 타협을 하지 않을 것이다. 반
드시 제갈보광의 죽음에 대한 복수를 하려 들 것이다.

'가주가 있었다면 어떻게 처리할까?'

비룡맹군은 빠르게 머리를 굴렸다.

'만약 합당한 보상이나 결과물이 생긴다면 주저 없이
나와 검군의 목을 베어 무적가에게 건네겠지. 비록 무적
가와 오랜 원한이 있다고는 하지만 어디까지나 가주는
철저한 실리파이니까.'

하지만 무적가 측에서 정극신을 회유할 정도의 보상이

나 결과물을 내놓을 리 없었다. 외려 협박이나 위협을 하며 정극신을 압박할 테고, 당연히 정극신은 코웃음을 치며 그들을 발로 걷어찰 것이다.

결국 결과는 뻔했다.

'무적가와의 전면전……'

비룡맹군은 입술을 깨물었다.

'전면전은 아무래도 좋지 않아. 우리 역시 상당한 피해를 보게 될 터. 그러니 가장 최소한의 피로 파국을 막는 방법은 역시 살인멸구이겠지.'

비룡맹군과 무적검군이 제갈보광을 죽인 사실을 아는 자들 모두 죽여서 입을 봉하면 되는 것이다. 그리고 그 모든 죄를 유령교에게 뒤집어씌우는 것이다.

비룡맹군과 무적검군은 유령교를 몰살시키는 데 최선을 다했지만, 아쉽게도 한발 늦게 당도하는 바람에 유령교가 무적가를 전멸시키는 걸 막지 못했다.

그런 내용의 보고라면 가주 정극신은 매우 기뻐할 것이다. 또 무적가에게 큰소리를 칠 명분도 생기는 거고.

거기까지 빠르게 정리가 된 비룡맹군은 고개를 끄덕이며 말했다.

"유령교와 무적가 모두 전멸시키는 거다."

부관들은 경악을 금치 못하고 입을 벌렸지만 비룡맹군의 단호한 표정에 더 이상 토를 달지 못했다.

"존명!"

부관들은 수하들에게 지시를 내리기 위해 서둘러 자리를 떴다.

비룡맹군이 무적검군을 돌아보았다. 무적검군은 동남쪽, 그러니까 자신들이 도망쳐 온 그 숲에서 시선을 떼지 않으며 조용히 말했다.

"나도 찬성이네."

비룡맹군이 한숨을 내쉬었다.

"아무리 생각해 봐도 그 수밖에 없는 것 같네. 살인멸구."

"동의하네."

"사실 따지고 보면 제갈보광이 먼저 우리에게 기습을 펼친 건데 말이지. 어디까지나 우리는 정당방위인 게라고."

"맞아."

"그런데 왜 우리가 도망쳐야 하고, 또 살인멸구라는 잔악한 계획까지 짜야 하는지…….".

"그게 세상일이라는 거지."

무적검군은 차분한 어조로 말했다.

"오해는 오해를 낳는 법이고, 내 누명을 벗기 위해서는 다른 사람에게 누명을 씌우는 게 가장 빠른 법이니까."

"으음, 지금 상황에 딱 맞아떨어지는 말이기는 하군. 그래서 입맛이 더 씁쓸한 것인지도 모르겠네."

중얼거리던 비룡맹군은 문득 등골이 서늘한 느낌이 들

었다. 뭔가 놓친 듯한 기분이었다.

그는 무적검군의 말을 곱씹어 보았다.

오해는 오해를 낳는 법이다.

내 누명을 벗기 위해서는 다른 사람에게 누명을 씌우는 게 가장 빠른 법이다.

'으음, 그러니까…….'

뭔가, 뭔가 그의 마음 한구석을 괴롭히는 찜찜함이 있었다. 비룡맹군은 눈살을 찌푸리며 고민에 빠졌다.

누명을 덧씌운다.

제갈보광을 암살했다는 누명을 벗기 위해서 유령교가 무적가를 몰살시켰다는 누명을 씌운다.

충분히 가능한 일이었다.

아마 철목가 가주나 무적가 본산 측에서는 숨겨진 진실 대신, 그 진실에 덧씌워진 거짓에 환호하거나 혹은 슬퍼할 것이다.

'어디서, 언젠가 이런 기분을 먼저 느낀 적이 있는 것 같은데…….'

비룡맹군의 뇌리에 뭔가 떠오르려는 찰나, 부관들이 돌아와 보고했다.

"모든 수하들을 집결시켰습니다! 이제 출전 명령만 내리시면 됩니다!"

비룡맹군은 퍼뜩 상념에서 깨어났다.

그는 아쉬운 표정을 지었지만 이내 더없이 진중한 표정을 지으며 소리쳤다.

"눈앞에 보이는 모든 자들이 적이다! 가로막는 자들은 모두 몰살시켜라!"

"와아!"

"와아!"

삼백의 무사들이 일제히 함성을 내질렀다.

비룡맹군은 무적검군을 돌아보았다. 무적검군이 천천히 고개를 끄덕였다.

"출발하지."

"그러세."

두 단주는 이내 지면을 박차고 동남쪽, 그들이 도주했던 숲을 향하여 다시 신형을 날렸다. 무적가 삼백의 정예가 맹렬한 속도로 그 뒤를 따랐다.

바람이 휘몰아쳤다.

걷잡을 수 없는 살기가 피어오르는 가운데, 삼백의 무리가 뿜어내는 뜨거운 열기와 거친 호흡이 그 바람을 타고 사방으로 흩어졌다.

6장.
원가로착(冤家路窄)

골패(骨牌)를 적당한 거리를 두고 하나씩 세워.
그렇게 수백 개의 골패를 세운 다음,
첫 번째 골패를 툭! 건드려 쓰러뜨리면 어떻게 될까.
첫 번째 골패가 쓰러지면서 두 번째 골패를 건드리고,
두 번째 골패가 쓰러지면서 세 번째 골패를 건드리고…….

1. 철목개문(鐵木開門)

그야말로 암흑 같았던 어둠이 천천히 옅어지기 시작하더니, 곧 어둠이 사라지고 그 자리를 안개가 차지했다.

원래 〈해를 보면 개가 짖는다〉는 사천이었다. 대낮에서 자주 안개가 끼는 성도부, 이렇게 동이 트는 새벽 무렵이면 종종 자욱한 물안개가 시야를 새하얗게 물들이기도 한다.

부지런한 행상꾼은 새벽 일찍부터 한쪽에는 뜨거운 국이, 그리고 다른 한쪽에는 조그만 화로(火爐)와 국수가 담긴 담자(擔子)를 어깨에 걸치고 거리를 돌아다니며 연신 큰 소리로 외친다.

"꿩국 있어요! 두부탕 있어요! 매운 국수 있어요!"

행상꾼은 돌아다니지 않는 곳이 없었다. 대부분 문이 닫혀 있는 상가(商街) 거리도, 이제 하나둘씩 불이 꺼지는 유곽 홍등가(紅燈街)도, 아직 모두들 잠들어 있을 골목길도 모두 그의 장사 구역이었다.

요즘 유행하고 잘 팔리는 건 매운 국수였다.

부드럽고 쫄깃한 면과 맵고 얼얼한 맛의 조화가 일품인 매운 국수는 이곳 사천 사람들이 좋아하는 매운맛을 제대로 담고 있었다.

밤새도록 술 취한 손님과 육욕(肉慾)에 눈이 번들거리는 사내들에게 시달린 유곽의 여인들은 그 매운 국수와 두부탕, 혹은 꿩국으로 허기를 때우고 속을 달래기도 했다.

어느덧 안개도 차츰 옅어지면서 텅 비었던 거리에는 사람들의 모습이 하나둘씩 보이기 시작했다.

유난히 일찍 일어난 점소이는 늘어지게 기지개를 켜고 밖으로 나왔다가 몸을 부르르 떨고 다시 안으로 들어갔다. 부지런한 가게 주인들이 문을 열고 가게 앞길을 청소하기 시작했다.

행상꾼들의 수도 하나둘씩 늘어났다. 온갖 음식을 파는 행상꾼들은 물론, 채소를 담자 가득 담고 나선 할머니도 있었다.

이제 막 성도부의 아침이 시작되려는 것이다.

푸드드득!

햇빛이 안개를 뚫고 내려앉는 시각, 그들의 머리 위로 한 마리 새가 아침 하늘을 가르며 날아갔다. 제법 체구가 커 보이는 매[鷹]였는데, 성도부의 허공을 몇 바퀴 선회하다가 정확하게 어느 장원의 망루를 향해 급강하했다.

망루에는 두 명의 무사가 그 모습을 지켜보고 있었다. 그중 팔뚝에 보호대를 찬 한 명이 손을 들어 올렸다. 매는 정확하게 무사의 팔뚝에 내려앉았다.

무사는 매의 머리를 쓰다듬었다. 그리고 미리 준비한 말벌과 애벌레를 꺼내 매에게 먹였다. 매는 그보다 더한 진수성찬이 없다는 것처럼 맛있게 말벌과 애벌레를 먹었다.

그러는 동안 무사는 매의 발에 매달려 있는 대롱을 풀어 그 안에서 쪽지를 꺼내 들었다. 동료 무사가 쪽지를 받아 들고 서둘러 망루를 내려가 본청으로 달려갔다.

꽤 이른 아침이었지만 이 장원의 사람들은 다들 부지런히 일하고 있었다. 주방에서는 밥 짓는 연기와 음식 냄새가 쉬지 않고 흘러나왔으며, 넓은 앞마당에서는 추운 날씨에도 불구하고 웃통을 벗은 장한들이 열을 맞춰 수련하고 있었다.

경비 무사들은 맡은 바 지역을 떠나지 않은 채 두 눈을 빛내며 사위를 경계했다.

망루의 무사가 본청까지 달려가는 동안에도 무려 세 번이나 걸음을 멈추고 얼굴을 확인시켜 주어야만 했다. 본청 경비 무사들도 칼과 창을 겨눴다가 그가 동료 무사인지 확인하고는 문을 열어 주었다.

반면 본청의 대청, 넓은 탁자에는 오직 한 사람만이 앉아 있었다. 삼십대 중후반으로 보이는 덩치 좋은 사내였다. 사내는 한 손으로는 턱을 괸 채 한 손으로는 탁자 중앙에 마련된 모형 지도에 깃발을 이리저리 꽂는 중이었다.

"전서응(傳書鷹)이 당도했습니다."

무사의 말에 사내, 이 장원의 주인인 강만리는 고개를 번쩍 들었다.

"어느 곳에서 날아든 전서응이냐?"

무사는 강만리 가까이 다가가 공손하게 쪽지를 건네며 대답했다.

"만인평 쪽입니다. 화 장주께서 보내셨습니다."

"그래?"

강만리는 단추 구멍만 한 조그만 눈을 크게 뜨며 쪽지를 읽어 내려갔다. 읽는 동안 그의 입이 길게 찢어졌다.

"좋아, 잘됐다. 모든 일이 계획대로 진행 중이구나."

그는 고개를 끄덕이고는 다시 무사를 바라보며 물었다.

"봉두봉응(鳳頭蜂鷹)의 상태는?"

무사는 고개를 숙인 채 대답했다.

"세찬 바람을 뚫고 제법 먼 거리를 날아왔지만, 전혀 지친 기색이 없습니다. 중간에서 헤매거나 길을 잃지 않은 모양입니다."

"그런 것 같아. 쪽지의 내용을 읽어 보니 어젯밤 벌어졌던 일들이야. 그러니까 만인평 입구에서 예까지 불과 한나절 만에 날아온 게지. 정말 기특한 녀석이라니까."

강만리는 제 임무를 훌륭히 수행한 전서응에 대해 아낌없이 칭찬했다.

원래 전서(傳書)의 역할은 비둘기가 주로 맡는다. 비둘기의 귀소 본능을 이용하여 외지(外地)에서 집으로 돌아오는 훈련을 시키는데, 사냥꾼들의 활에 죽거나 혹은 매나 독수리 등의 맹금류에게 사냥을 당하는 등의 단점이 있었다.

그래서 몇몇 문파에서는 훨씬 빠르고 강한 맹금류를 길들여 전서구를 대신하기도 했다. 일반적으로 송골매 등 매를 이용하여 전서응(傳書鷹)이라고 부르는데, 특이하게도 강만리의 장원에서는 봉두봉응이라는 매를 사용했다.

봉두봉응은 봉두(鳳頭), 즉 봉황의 머리를 가진 봉응(蜂鷹), 벌매를 가리키는 말이었다. 말벌이나 애벌레, 그리고 벌꿀을 주식으로 삼는다고 해서 벌매라고 이름이 붙여진 이 매는 다른 매들보다 훨씬 귀소 본능이 뛰어나며 성격이 포악하지 않고 순해서 길들이기가 쉬웠다.

"의외로 아란 그 녀석의 조언이 가끔 제대로 통할 때가 있다니까."

이 봉두봉응을 전서응으로 추천한 이는 다름 아닌 아란이었다.

아란은 흑개방 시절, 벌매가 전서응으로 매우 적합하다는 정보를 접한 적이 있었고 그래서 상부에 추천을 하기도 했다. 하지만 상부에서는 실제로 벌매를 훈련시켜 보지도 않은 채 아란의 제안을 물리쳤다.

이후 화평장의 식구가 된 아란은 다시 적극적으로 봉두봉응을 추천했으며, 강만리는 별 생각 없이 고개를 끄덕였다.

"그래. 한번 적극적으로 훈련시켜 봐."

그렇게 해서 아란은 전서구 대신 전서응을, 다른 매가 아닌 봉두봉응을 훈련시키기 시작했으며, 이후 봉두봉응은 화평장을 대표하는 전서응이 되어 활약하고 있었다.

"수고했다. 계속 다른 전서응들의 동태도 놓치지 말게."

"존명."

강만리의 말에 무사는 허리를 숙인 후 밖으로 나갔다.

또 혼자가 된 강만리는 다시 쪽지를 펴서 천천히 읽어 내
려갔다. 쪽지에는 아주 작은 글씨로 꽤 많은 내용의 글이
적혀 있었다.

"철목개문(鐵木開門)의 계획은 성공했습니다. 그들은
루호와 담 형님, 군악의 연기에 완벽하게 속아 넘어갔습
니다. 황계와 유령교 사람들도 최선을 다했습니다. 그로
인해 몇몇 이들은 실제로 목숨을 잃기도 했고 큰 부상을
당하기도 했습니다⋯⋯."

철목개문은 강만리가 세운 세 가지 계획 중의 두 번째
계획이었다.

-철목가로 하여금 문을 열고 시작하게 만든다.

그게 철목개문의 뼈대였다. 그리고 철목개문 역시 여러
단계를 거쳐야 비로소 완성되는 계획이기도 했다.

추관 학여춘을 통해서 제대로 된 정보와 거짓 정보를
전해 주어 철목가를 교란시키고, 제룡사의 시신들을 확
인케 만드는 게 철목개문의 첫 단계였다.

그렇게 의구심과 의혹이 쌓인 상태에서 출정한 철목가
가 만인평 입구에서 유령교와 무적가를 만나게 하는 게
두 번째 단계였다.

이미 담우천에 의해 목숨을 잃은 제갈보광은 화군악이

변장을 하고 맡기로 했다.

기름과 송진을 잔뜩 먹인 솜에 불을 붙인 다음 눈에 보이지도 않을 정도로 가느다란 천잠사(天蠶絲)를 이용하여 던지고 회수하기를 반복하는 모습을 멀리서 지켜본다면, 마치 무적가의 고수가 능수능란하게 화염구를 던졌다가 회수하는 것으로 착각하는 게 당연했다.

루호는 그 제갈보광을 상대하는 유령교의 젊은 고수 역할을 했다. 사실이 그렇기도 하거니와, 루호는 그 역할을 제대로 수행했다. 유령신마보를 알아보는 식견을 가진 자라면 결코 루호의 신분을 의심하지 않을 것이다.

담우천은 제갈보광을 기습하는 유령교의 마두 역할을 맡았다. 동시에 철목가 고수들이 접근했을 때 행여 그들이 화염구가 가짜임을 알아차리기 전에 없애 버리는 임무까지 맡았다.

사실 정상적인 상황에서 정상적으로 판단한다면 저 철목가의 절정 고수들에게는 가짜 화염구에서 풍기는 기름과 송진 냄새까지 맡을 능력이 있었다.

하지만 워낙 상황이 다급한 데다가 계속해서 정신없이 무적가 고수들이 휘몰아치는 데에야, 아무리 그들이라 할지라도 제대로 된 사고 판단을 할 수가 없을 터였다.

감정이 냉정을 잃게 된다면, 주위 상황의 변화에 따라서 그 감정은 계속 흔들리며 논리적인 판단을 할 수 없게 되는 것이다.

"한 번 이성을 잃으면 계속해서 감정적으로밖에 생각할 수 없게 되는 법……."

자신들을 향해 덤벼드는 제갈보광의 수염이 가짜인지 진짜인지 확인할 냉정과 이성을 잃었다.

쌍장을 맞부딪치고 검을 휘둘러서 패퇴시켰지만, 그로 인해 제갈보광으로 변장한 자가 진짜로 목숨을 잃었는지 아니면 거짓으로 당한 척 했는지 분간할 겨를이 없었다.

그들이 냉정하게 추이를 지켜보게 놔두지 않았으니까. 계속해서 또 다른 상황을 만들어 내고 그들이 정신없게 만들었으니까.

새로 투입한 무적가 고수들은 물론 황계의 인물들이었고 또 루호의 형제들이었다. 그들은 주군을 잃은 연기를 훌륭하게 해냈다. 또 철목가 고수들을 지목하여 그들의 별호와 신분을 밝히는 임무도 해냈다.

"정당방위이건 아니건 간에 어쨌든 그들은 무적가의 수뇌 중 한 명을 죽이게 된 게지."

강만리는 몇 번이나 읽어 이제는 다 외운 쪽지를 입안에 넣고 꿀꺽 삼켰다. 세상에 존재해서 이로울 게 하나도 없는 쪽지였고 내용이었다.

"그리고 제갈보광을 죽였다는 사실은 그들에게 커다란 혼란을 가져다줄 것이다."

강만리는 처음에 구상했던 자신의 철목개문지계(鐵木開門之計)를 다시 한번 정리했다.

"혼란은 판단력을 잃게 만들고, 객관적이 아닌 주관적인 사고(思考)를 이끌게 되지. 그래서……."

철목가의 단주들은 제갈보광을 죽인 후환을 없애기 위해 궁리할 것이다.

마침 무적가는 유령교와 한참 싸움을 벌이는 중이었다. 며칠 동안 계속 도주하고 쫓고 싸우느라 체력과 기력이 소진되었을 그들이라면 철목가의 무사들이 충분히 몰살시킬 수 있었다.

"유령교와 무적가 사람들을 모두 죽었다는 건, 즉 철목가 단주들이 제갈보광을 살해했다고 증언할 사람이 없어졌다는 걸 뜻하지."

그렇게 되면 얼마든지 상황을 조작할 수 있고, 또 다른 누군가에게 제갈보광을 죽인 누명을 씌울 수도 있었다.

"내가 철목가의 단주라면 유령교와 무적가 사람 모두를 죽인 후 가주에게는 이렇게 보고할 거다. 최선을 다해 유령교 잔당들을 해치웠지만 아쉽게도 한발 늦는 바람에 쫓기던 무적가 무사들이 몰살당하는 걸 막지는 못했다고. 그 와중에 제갈보광이 유령교 마두에게 살해당했다고 말이야."

일거양득, 일석이조, 꿩 먹고 알 먹고.

"워낙 상황이 급변하다 보니 생각하고 판단하여 결정을 내릴 시간이 별로 없을 터, 결국 자신들에게 유리한 방향으로 결론을 낼 게 분명하다."

즉, 무적가의 단주들은 제 수하들을 이끌고 유령교와 무적가 사람들을 뒤쫓을 게 분명했다. 반드시 그들을 죽이겠다는 결연한 의지와 각오를 지닌 채.

강만리는 문득 엉덩이를 긁적거리며 중얼거렸다.

"하지만 그 앞에 또 뭐가 있는지 알지 못하고 있다는 게, 정작 그들의 패착이라 할 수 있겠지."

그게 조호이산지계와 철목개문지계를 잇는 마지막 계획, 원가로착지계(冤家路窄之計)의 시발점이었다.

그때였다.

"와, 일찍 일어나셨네요?"

여인의 경쾌한 목소리가 강만리의 상념을 깨뜨렸다. 강만리는 눈살을 찌푸리며 고개를 돌렸다.

아란이었다. 그녀는 일부러 육감적인 몸매가 훤히 드러나는 옷을 입은 채 둔부를 살랑거리며 걸어왔다.

'고약한 놈.'

강만리가 인상을 찌푸릴 때, 그녀의 뒤를 따라 고굉과 헌원중광이 들어섰다. 그리고 마치 다들 밖에서 만나 함께 오기라도 약속한 것처럼 소묘아와 고로투도 모습을 드러냈다.

이내 대청이 시끄러워졌다. 소묘아의 아직 어눌하지만 활달한 목소리가 사람들의 입가에 미소를 띠게 했다. 다들 서로 아침 인사를 나누면서 탁자에 자리를 잡았다.

"식사를 차리라고 할까요?"

아란이 물었다. 강만리가 고개를 끄덕였다. 곧 시비(侍婢)와 하인들이 아침 식사를 준비하기 시작했다.

여느 때처럼 평범한 화평장의 아침 풍경이었다.

2. 안개 속 형국

쉬울 줄 알았다.

간단한 일이라고 생각했다.

여전히 저 숲속에서 이전투구(泥田鬪狗)의 싸움을 벌이고 있을 테니, 그 뒤를 기습해서 피아(彼我) 가리지 않고 모두 죽이면 끝나는 일이었으니까.

하지만 비룡맹군과 무적검군이 이끄는 삼백 무사가 숲에 당도했을 때, 이미 숲속에는 아무도 없었다. 아마도 수장을 잃은 무적가 무리들은 자신들을 공격하는 유령교를 피해 숲을 벗어나 만인평 쪽으로 도주한 게 분명했다.

"놓치면 안 된다! 반드시 모두 몰살시켜야 한다!"

비룡맹군은 소리치며 그 뒤를 쫓았다.

흔적은 계속 이어졌다.

워낙 급박하게 쫓고 쫓기는 형국인지라 유령교, 무적가 할 것 없이 적지 않은 흔적을 이곳저곳 남겼다.

평소라면 있을 수 없는 흔적들, 눈밭에 찍힌 발자국이나 핏물, 부러진 나뭇가지 등등 비룡맹군과 무적검군이 뒤를 쫓기에는 충분한 흔적들이었다.

하지만 그런 흔적들이 있음에도 불구하고 좀처럼 놈들의 뒤를 따라잡지 못했다.

어느덧 어둠이 개이고 천천히 날이 밝아 오고 있었지만, 그리고 숲이 끝나고 드넓은 넓은 평야가 시작되었지만 여전히 무적가와 유령교의 모습을 찾을 수가 없었다.

철목가의 단주들은 잠시 추격을 멈추고 주변 상황을 살피기 시작했다.

어둠이 채 지워지지 않은 평야는 짙은 안개에 휩싸여 있었다. 날은 추웠고 새벽의 공기는 살을 에일 정도로 차가웠다.

세찬 바람은 미친 망아지처럼 바람막이 한 점 없는 넓은 평야를 마구 날뛰었다. 그래서인지 이틀 전 내린 폭설은 어느덧 단단하게 굳어서 어지간한 힘을 주지 않으면 발자국이 찍히지도 않았다.

새벽안개는 바로 코앞에 있는 사물까지 가릴 정도로 짙었다. 심지어 바로 옆에 서 있는 무적검군조차 흐릿한 검은 물체로 보일 정도였다.

"지독한 안개로군."

비룡맹군이 혀를 차며 중얼거렸다.

"사천의 안개가 유명하다고 말로는 들어 봤지만 이 정
도일 줄은 상상조차 하지 못했네."

무적검군이 동의했다.

"이런 안개 속이니 놈들의 모습을 찾을 수가 없지."

"그러니까 말일세. 이러다가는 자칫 무적가 놈들이 살
아서 천자산까지 도망치겠어."

"그럴 일은 없네."

무적검군은 검을 들어 새벽안개에 가려져 보이지 않는
어느 한 방향을 가리키며 말을 이었다.

"저곳에서 싸우고 있으니까."

비룡맹군은 귀를 쫑긋거렸다. 이내 그는 고개를 끄덕였
다. 병장기 부딪치는 소리가 희미하게 들려왔던 것이다.

"삼백 장 정도 떨어져 있군. 쳇, 결국 밤새도록 달려왔
는데 놈들과의 간격이 전혀 좁혀지지 않았어."

"그만큼 놈들도 절박하다는 거겠지. 쫓기는 놈이나 쫓
는 놈이나."

"그렇겠지. 그렇게 쫓고 쫓기면서도 계속 싸워야 하니
얼마나 힘들겠나? 하지만 우리는 아직 체력이나 기력이
넘쳐나니까. 이 안개가 사라지기 전에 놈들의 뒤를 잡을

수 있을 것 같군."

"그래야겠지."

두 단주의 대화는 게서 끝났다.

잠시 휴식을 취하던 삼백 무사는 단주들의 명령에 따라 다시 이동하기 시작했다. 이제 완연하게 어둠은 개었지만 여전히 짙은 물안개가 시야를 가로막는 가운데, 그들은 두 단주를 따라 계속해서 전진했다.

순식간에 삼백여 장의 거리가 이백여 장으로, 다시 백여 장으로 좁혀졌다. 그들이 가까이 다가갈수록 병장기 부딪치는 소리가 점점 크게 들려왔다. 거친 고함과 날카로운 비명도 생생하게 들렸다.

"이 악랄한 무적가 놈들!"

"모두 죽여라!"

안개로 사위가 뒤덮인 가운데 바로 코앞, 그러니까 십여 장도 채 안 되는 거리에서 한창 싸움이 벌어지고 있었다.

비룡맹군과 무적검군은 저도 모르게 서로를 돌아보았다. 눈빛이 마주치는 순간 동시에 고개까지 끄덕였다. 드디어 따라잡은 것이다.

"좋아!"

"가자!"

누가 먼저랄 것도 없었다.

두 사람은 있는 힘껏 지면을 박차고 허공을 날아 전장
(戰場)으로 뛰어들며 검을 휘두르고 쌍장을 휘갈겼다. 조
심할 필요가, 상대를 가릴 이유가 전혀 없었다. 유령교든
무적가든 모두 몰살시킬 작정이었으니까.

"죽어라!"

그들을 따라 철목가 삼백의 무사가 전력을 다해 공격을
시작했다. 바야흐로 원하던 전면전(全面戰)이 펼쳐지는
순간이었다.

* * *

"아악!"

"누구냐?"

"적이다!"

안개가 자욱한 만인평.

갑작스러운 고함과 비명이 터져 나왔다. 이내 만인평은
아비규환(阿鼻叫喚)의 수라장으로 바뀌었다.

열 명을 한 조로, 오십 명을 일대로, 백 명을 일당으로
구성해서 길게 횡렬을 지어 만인평을 수색하고 있던 참
이었다.

어디엔가 있을지 모르는 제갈보광과 그 수하들의 시신

을 찾기 위해서, 혹은 부상을 입은 채 신음을 흘리는 동
료들을 찾기 위해서, 아직 살아남아서 적과 항전하는 아
군을 찾기 위해서 천자산 무적가를 떠나온 이천 명의 무
사들은 관도를 중앙으로 하여 좌우 양쪽으로 각각 천 명
을 배치하여 만인평을 샅샅이 훑고 있었다.

오전에 시작된 수색은 오후를 거쳐 저녁, 그리고 한밤
중에 이르기까지 멈추지 않았다.

중간중간 식사를 하기 위한 시간과 또 성난 추위와 무
릎까지 파이는 눈밭에 얼어붙은 발과 몸을 녹이기 위해
잠시 교대하면서 휴식을 취한 것 외에는 무려 한나절이
넘도록 그들은 최선을 다해 행여 있을지 모르는 동료들
을 찾았다.

"너무 밤이 깊었습니다. 더 이상의 수색은 무리입니
다."

부관이 조심스레 제언했다.

제갈천상은 턱수염을 쓰다듬으며 고개를 끄덕였다.

"안 그래도 오늘은 그만해야 할 것 같다고 생각하던 참
이다. 다들 야숙 준비를 하라고 전하라."

명령은 빠르게 전달되었다.

무사들은 안도의 한숨을 쉬면서 준비해 온 막사를 펼치
고 불을 지폈다.

식사를 담당하는 무사가 등에 메고 있던 솥에다가 눈을

가득 쓸어 담아서 불 위에 얹었다. 눈은 금세 녹아 뜨거워졌고, 거기에 말린 고기와 찹쌀, 그리고 몇 가지 향신료를 더해 고기죽을 만들었다.

조원들은 모닥불 주위에 둘러앉아 허겁지겁 죽을 먹었다. 단순한 고기죽이었지만 추위를 가시게 하고 허기를 달래는 데에는 최상의 음식이었다.

그렇게 간단한 식사를 마친 무사들은 순번을 정해 불침번을 섰다. 막사 안도 춥기는 매한가지였지만 그래도 양가죽으로 몸을 둘러싼 채 다른 동료들과 딱 붙어 있으니 한결 따뜻해졌다.

별빛 한 점 없던 밤이 지나고 새벽이 왔다. 어둠이 엷어진 대신 새하얀 안개가 만인평 전체를 뒤덮었다.

불침번들은 모닥불 앞에서 꾸벅꾸벅 졸고 있었다. 그들의 방심은 너무나도 당연했다. 이 한적하고 드넓은 평야에서 어느 누가 감히 이 수천 명 무사들을 기습할 수 있을까.

하지만 의외의 일은 의외의 순간에 일어나는 법이었다. 그리고 그것은 무적가가 펼친 군영(軍營)의 외곽 지역, 가장 후미진 곳에서부터 시작되었다.

"아악!"

"적이다!"

"기습이다! 적이 기습을 감행했다!"

비명소리가 몇 차례 울려 퍼지더니 이내 큰 소리로 적을 알리는 고함이 이어졌다.

"철목가 놈들이다!"

"철목가다! 철목가 단주들이 보광 장로를 죽였다! 그들이 암살했다!"

고함은 여기저기에 들려왔다. 적에 대한 경고도 있었고 또 믿을 수 없는 정보도 있었다.

제법 멀리서 들려온 소란이었지만 제갈천상의 귀를 속일 수는 없었다.

잠에서 깬 제갈천상은 두툼한 털가죽으로 만든 이불을 걷어차고 곧장 막사 밖으로 뛰어나왔다. 사방이 혼란스러운 가운데 부관들이 허겁지겁 그 앞으로 달려왔다.

"무슨 일이냐?"

제갈천상이 엄하게 묻자 부관들은 허리를 숙이며 보고했다.

"적이 기습을 감행한 것 같습니다. 관도 우측 만인평 외곽 쪽에서 전투가 진행 중입니다."

"현재 그곳에 사람을 보내어 정확한 상황을 파악하는 중입니다."

"적? 누구?"

"철목가라고 합니다."

"확인된 정보는 아니지만 철목가가 제갈보광, 보광 장

로를 암살했다는 소식도 있습니다."

일순 제갈천상의 눈가가 매섭게 휘어졌다.

"철목가가 보광을 암살하다니? 왜? 무슨 이유로?"

부관들은 쩔쩔맸다.

"그건 저희들도 아직 잘······."

"안 되겠다! 우선 적이 언제 어디에서 출몰할지 모르는 이상 각 당주들은 수하들을 한데 모아 원진(圓陣)을 펼치라고 이르라."

"존명!"

"그리고 너와 너, 두 사람은 각각 일당(一堂)씩 차출하여 내 뒤를 따르라!"

"존명!"

세 명의 부관들은 각 수뇌부들에게 연락을 취하러 움직였고 나머지 두 명의 부관은 가까운 곳에서 야숙을 하고 있던 이개(二個) 당을 차출하여 제갈천상의 뒤를 따랐다.

제갈천상은 곧장 소란이 일어난 우측 외곽 지역을 향해 몸을 날렸다. 어느새 지시를 하달받은 수많은 무사들이 원진을 펼치고 있는 가운데, 제갈천상과 이백의 무리들은 빠르게 만인평 눈밭을 헤치고 전장으로 향했다.

"응?"

외곽 지역에 당도한 제갈천상은 걸음을 멈추고 사방을 둘러보았다. 안개가 자욱하여 한치 앞도 제대로 보이지 않는 평야, 그 어디에서고 전투의 흔적은 찾을 수가 없었다.

실로 기이한 일이었다.

조금 전까지만 하더라도 이곳을 향해 달려오는 동안 제갈천상의 귓전으로 쉴 새 없이 외치는 고함이 들려왔었다.

"이 악랄한 무적가 놈들!"

"죽여라!"

철목가 무사들의 음성으로 짐작되는 고함들과 비명과 병장기 부딪치는 소리가, 막 그가 이곳에 당도하자마자 신기루처럼 사라진 것이다.

제갈천상은 눈살을 찌푸리며 좌우를 둘러보다가 문득 낮은 목소리로 수하들에게 경고했다.

"조심하라. 적이다."

바로 그 순간이었다.

제갈천상의 전면을 가로막고 있던 희뿌연 안개가 사방으로 흩어지면서, 두 명의 중년인이 마치 커다란 백지(白紙)를 뚫고 튀어나온 것처럼 갑작스레 모습을 드러냈다.

"죽어라!"

그들은 거칠게 고함을 내지르며 제갈천상과 무적가 무사들을 향해 쌍장을 휘두르고 검을 내질렀다. 다름 아닌, 유령교 잔당과 무적가 무리들을 쫓아 예까지 달려온 비룡맹군과 무적검군이었다.

3. 또 다른 계획

골패(骨牌)를 적당한 거리를 두고 하나씩 세워. 그렇게 수백 개의 골패를 세운 다음, 첫 번째 골패를 툭! 건드려 쓰러뜨리면 어떻게 될까.

첫 번째 골패가 쓰러지면서 두 번째 골패를 건드리고, 두 번째 골패가 쓰러지면서 세 번째 골패를 건드리고…….

그래. 만인평의 싸움은 그런 식으로 전개가 될 거야. 하나의 시작이 쉴 새 없이 연쇄 반응을 일으키면서 마침내 거대한 파국(破局)으로 이어지는 거지.

그 파국으로 이끄는 첫 번째 골패가 조호이산이었다면 두 번째 골패는 철목개문이 되는 거고, 파국을 결정짓는 마지막 골패가 바로 원가로착(冤家路窄)인 게지.

* * *

아침 식사의 그릇들이 다 치워진 탁자.

고로투와 소묘아는 무공 수련을 하러 나갔고 헌원중광은 보다 강력한 쇠뇌를 만드는 중이라면서 허겁지겁 공방(工房)으로 향한 가운데, 탁자 주위에는 아란과 고굉, 그리고 강만리만 남아 있었다.

"뭣들 해? 가서 일 보지 않고?"

강만리의 말에 고굉이 머뭇거렸고 아란이 입술을 내밀었다. 아무래도 모양새가 어젯밤, 혹은 오늘 아침 저 둘이서 뭔가 작당 모의라도 한 것 같았다.

　강만리가 가늘게 눈을 뜨며 말했다.

　"할 말 있으면 하고."

　아란이 눈치를 주었다. 고굉이 헛기침을 하며 머리를 긁적였다. 고굉이 망설이는 기색이 역력하자 아란이 낮은 목소리로 투덜거렸다.

　"고추나 달렸는지 몰라."

　아란은 곧장 강만리를 바라보며 본론을 꺼냈다.

　"왜 우리에게는 알려 주지 않는 거죠?"

　강만리가 고개를 갸우뚱거리며 되물었다.

　"뭘?"

　"이번 계획이요."

　아란은 턱을 내밀고 팔짱을 끼며 말했다.

　"우리도 분명 여러 가지 일들을 해 왔다고요. 이번 계획에 없어서는 안 될 일들을요. 연풍회주 역할도 그렇고, 또 봉두봉응을 훈련시킨 것도 그렇고요. 아, 고 방주는 해당이 안 될 수도 있겠네요."

　'망할 계집!'

　"그런데 정작 우리는 아무것도 몰라요. 그저 다섯 형제분, 아니 설 장주가 빠졌으니까 네 분이죠. 네 분끼리 모여서 의논하고 궁리하고 진행하고……. 그럼 저는 뭐죠? 저도 분명히 여섯 번째 형제가 아니던가요?"

"아니지. 여섯 번째는 나야."

고굉이 끼어들자 아란이 그를 노려보며 말했다.

"됐어요. 고 방주는 그저 굿이나 보고 떡이나 먹어요."

고굉은 입을 다물었다.

반박할 말이 없었다. 애당초 이 항변은 아란이 아니라 고굉의 몫이었다. 하지만 강만리의 저 무뚝뚝한 얼굴과 냉랭해 보이는 눈빛에 차마 입을 열지 못했던 것이다.

단 한마디의 말로 고굉의 입을 다물게 한 아란은 다시 강만리에게로 시선을 돌리며 말했다.

"그러니 지금이라도 늦지 않았어요. 다 말씀해 주세요. 도대체 어떤 계획을 준비했는지, 그리고 어떤 식으로 진행이 되고 있는지, 어떤 결과를 예상하는지 말이에요."

강만리에게서 아무런 대답이 없자 이번에는 고굉이 입을 열었다.

"어지간하면 형님께 이런 말씀드리지 않습니다만 이번 처사는 너무 하셨습니다. 우리를 그저 허드렛일 부리는 졸자(卒者)로만 생각하신 게 아니라면, 아란 소저의 말대로 우리도 그 계획을 알 권리와 의무가 있다고 생각합니다."

평소의 고굉답지 않게 유창한 연설이 될 수 있었던 것

은 어젯밤 아란과 작당을 하고 나서 밤새도록 외운 내용이기 때문이었다.

"흠."

강만리는 잠시 생각하다가 고개를 끄덕였다.

"뭐, 설명 못할 것도 없지."

그는 두 사람을 돌아보며 말했다.

"굳이 그대들에게 이런저런 계획을 알려 주지 않은 건 그대들을 믿지 못하거나 혹은 졸자로 여겨서가 아니야. 비밀 계획이라는 건 아는 사람이 적으면 적을수록 성공 가능성이 커지고, 반면에 많이 알면 알수록 위험에 처할 확률이 높아지거든."

강만리는 무덤덤한 표정으로 말을 이어 나갔다.

"그래서 실전에 투입되는 사람들을 제외하고는 그 누구에게도 모든 계획을 다 이야기하지 않았네. 정유에게도 자네들에게도 말일세."

아란과 고굉은 묵묵히 그의 말을 들었다. 강만리의 의제인 정유도 이번 계획을 알고 있지 못한다는 건 그들 또한 익히 아는 사실이었다.

"어쨌든 그리 소외감을 느낀다고 하니 이야기해 주지. 사실 별것도 아닌 계획이니까."

강만리는 그렇게 말하며 골패 이야기를 시작했다. 아란과 고굉은 흥미진진한 눈빛으로 그를 바라보며 귀를 기울였다.

"그렇게 해서 결국 파국을 결정짓는 마지막 골패가 바로 원가로착이 되는 게야."

강만리의 말이 끝났다.

원가로착.

원수는 외나무다리에서 만난다는 의미의 사자성어.

그러니까 무적가 정예들과 철목가 가주 정극신을 본산에서 나와 이곳 성도부로 오게끔 만드는 조호이산의 계략이 첫 번째.

오해와 착각과 누명을 뒤집어쓴 철목가의 단주들이 누명을 벗고 다시 뒤집어씌우기 위해 공격을 감행하는 것이 두 번째 철목개문의 계략이었다.

그리고 마지막. 그렇게 철목가 단주들이 먼저 무적가 본진을 급습하게 만들어 그야말로 빼도 박도 못하는 상황이 되게 하는 것이 원가로착, 마지막 계략이었던 것이다.

강만리의 길고 긴 이야기가 끝났을 때, 아란과 고굉은 입을 쩍 벌린 채 아무 말도 하지 않았다.

아니, 할 수가 없었다.

도대체 이 생긴 건 꼭 멧돼지 같은데 속에는 꼬리 아홉 개 달린 구미호가 들어가 있는 강만리가 언제부터 이런 원대한 계획을 세우기 시작했는지 도저히 알 수가 없었다.

분명 그간 강만리와 함께 밥을 먹고 함께 장원에서 시

간을 보내며 또 장원에서 같이 잠을 잤음에도 불구하고 두 사람은 그가 이런 계획을 세우고 있다는 걸 전혀 눈치 채지 못했던 것이다.

'역시⋯⋯.'

아란과 고굉은 거의 비슷한 생각을 뇌리에 떠올렸다.

'결코 적으로 삼아서는 안 될 사람이라니까.'

지금뿐만이 아니었다.

그건 고굉이나 아란 할 것 없이, 강만리를 알게 된 후 몇 번이고 되새긴 말이었다. 또한 고굉과 아란은 무림오적의 진정한 맏형이 누구인지 새삼 깨닫게 되었다.

아란은 침을 꿀꺽 삼키며 입을 열었다.

"또 다른 계획도 있으세요?"

"물론이지."

강만리는 엉덩이를 긁적이면서 말했다.

"대형(大兄)에게 선금을 받은 일을 아직 제대로 시작하지도 못했거든."

'대형?'

두 사람이 의아한 표정을 짓는 동안 강만리는 지나가는 말처럼 이야기했다.

"이번 일 끝나면 그 일을 해야겠지만."

그렇게 중얼거린 강만리는 엉덩이를 긁던 손으로 얼굴을 벅벅 문지르며 화제를 돌렸다.

"어쨌든 아직 이번 일이 끝나지 않았으니까, 아니 가장 중요한 대목이 남아 있으니까. 제대로 마무리를 지을 수 있도록 방심하지 말고 최선을 다해야겠지."

그는 고굉과 아란을 돌아보며 무뚝뚝하게 말을 이었다.

"이제 그대들도 모든 계획에 대해서 알게 되었으니까, 그에 대한 의무와 책임도 함께 져야겠지. 조금 전과는 달리 이제는 우리와 한배를 탄 거니까. 이 계획이 실패하면 우리 모두 함께 목숨을 잃게 되는 거야."

꿀꺽,

고굉은 저도 모르게 마른침을 삼키며 아란을 돌아보았다. 아란도 살짝 경직된 표정을 지은 채 고굉을 보고 있었다.

'괜히 끼어들었나?'

두 사람의 얼굴에 그런 의미의 표정이 스치고 지나갈 때, 짝! 하는 손뼉 치는 소리가 그들의 주의를 환기시켰다.

아란과 고굉이 강만리를 돌아보자, 강만리가 당연하다는 표정을 지으며 입을 열었다.

"그럼 두 사람 모두 일을 시작하지."

7장.
한번 싸워 보고 싶었소

굴강한 의지가 담긴 그의 눈빛,
그의 미소에서 감당할 수 없는 기세가 걷잡을 수 없이 흘러나오고 있었다.
그 어떤 자와 싸워도 이길 수 있다는 자신감이,
좀 더 강한 자와 싸워서 승리를 거두고 싶다는 호승심이
그의 등 뒤로 광휘(光輝)처럼 뻗어 나왔다.

1. 마지막 한 수

원가로착의 계획 중에서 가장 중요하고 조심해야 하며 완벽하게 해야 할 것이 바로 치고 빠지기였다.

언제 어느 때, 어떻게 치고 빠지느냐에 따라서 강만리가 계획하고 그의 의형제들이 진행하는 이 원대한 계획의 성패(成敗)가 갈라졌다.

유령교와 무적가 잔당들로 분장한 이들은 철목가 단주들에게 뒤를 잡히지 않은 채, 하지만 언제든지 꼬리를 잡힐 정도의 간격을 유지한 채 계속 도주해야 했다.

만인평, 무적가의 제갈천상이 이끄는 본진에 당도할 때까지 계속해서 그들을 유인하는 것이 도주의 목적이었다,

그렇게 철목가 사람들과 무적가 본진의 거리가 최대한 가까워졌을 때, 미리 대기하고 있던 조(組)에서 소란을 피우고 난동을 부린다.

만인평의 새벽은 언제나 앞이 보이지 않을 정도의 짙은 안개로 뒤덮인다.

그리고 무적가 본진은 원진이나 방진(方陣)처럼 최대한 병력을 한곳에 집결시켜 적의 기습을 막는 진영을 갖추는 대신, 그저 수색할 때와 마찬가지로 일렬횡대의 진영을 유지하고 있었다.

그 기회를 이용하여 대기하고 있던 조는 맨 좌측의 막사 하나를 공격하면서 크게 소란을 피운다. 기습당한 막사 측 무사들이 비명을 지르고 적이 나타났다고 고함쳤다.

반면 기습을 펼친 조원들은 큰 소리로 적이 누구인지 알리는 고함을 내질렀다.

"철목가 놈들이다!"

"철목가다! 철목가 단주들이 보광 장로를 죽였다! 그들이 암살했다!"

비명과 신음, 고함과 함성, 병장기 부딪치는 소리가 짙은 안개 저편에서부터 쉴 새 없이 퍼졌다.

뒤늦게 일어난 무적가 무사들은 당황해하면서도 그 거짓과 참이 뒤섞인 정보를 그대로 진영 전체에 퍼뜨렸다.

"적이다! 적이 나타났다!"

"철목가 놈들이다!"

"철목가 단주들이 보광 장로를 암살했다!"

이윽고 기습했던 조원들은 안개를 비집고 자취를 감추는 바로 그 순간, 무적가의 제갈천상이 그 현장에 당도했다.

동시에 유령교와 무적가 잔당을 뒤쫓던 철목가의 단주들이 짙은 안개를 뚫고 그 모습을 드러냈다.

그리하여 철목가의 단주들은 곧장 제갈천상을 향해 공격을 감행했고, 제갈천상은 느닷없는 그들의 공격에도 전혀 당황하지 않고 맞서 싸웠다.

그 절묘한 순간, 한 치의 오차도 없이 완벽한 치고 빠지기. 바로 그것이 이 원가로착지계를 성공하게 만드는 마지막 한 수였다.

* * *

"피해는?"

"아직 몸을 빼지 못하거나 늦게 도망쳐서 집계에 포함되지 않는 이들이 많은 까닭에 확실하지는 않습니다만, 사망자만 보면 대략 삼십 명 내외일 것 같습니다."

"삼십 명이라면…… 그나마 대응을 잘했다고 볼 수 있겠군."

난전(亂戰)이었고, 혼전(混戰)이었다. 철목가의 두 단주를 속이기 위해서는 목숨을 걸고 진심으로 그들과 부딪쳐야 했다. 그 결과가 서른 명 안팎의 사망자라면, 확실히 생각보다 나은 결과였다.

"네. 황계와 우리 쪽 모두 합쳐서 낸 집계이기 때문에 상당히 선전했다고 볼 수 있습니다."

"황계까지 포함시킨 건가? 그렇다면 정말 최선을 다한 결과이겠군."

황계까지 포함시킨다면 이번 원가로착지계에 참여한 인원수가 대략 이백 명 정도 된다. 그중에서 삼십 명이라면 이건 선전이 아니라 대성공이라고 할 수 있었다.

"새로 합류한 세 분의 활약이 컸습니다. 그분들이 사방팔방 돌아다니면서 철목가의 추격을 막고, 또 무적가와의 싸움에서도 활약하셨기에 이 정도 사망자로 끝난 것 같습니다."

"세 분이라면 화평장 사람들 말인가?"

"그렇습니다."

"흠, 그건 정말이지 나도 꽤 놀랐어. 비록 거짓으로 싸우는 연극을 하기는 했지만, 그것만으로도 그들의 무위가 어느 정도인지 확실하게 느낄 수가 있었으니까. 노야께서 직접 상대하셔도 과연 승리를 장담할 수 있을까, 하는 의구심이 들 정도였으니까."

"설마요."

"아니, 사실이야. 특히 담우천, 그자의 무위는……."

루호는 잠시 말을 멈췄다.

그는 여전히 앞이 보이지 않을 정도로 짙게 깔린 운무 (雲霧)로 시선을 돌렸다.

운무 저편에서 속속 동료들과 수하들이 당도하고 있었다. 그들은 무적가 진영에서 한바탕 난리를 치고 빠져나온 이들이었으며, 또 철목가의 추격을 뿌리치고 도망쳐온 이들이었다.

루호는 그 광경을 물끄러미 바라보다가 다시 입을 열었다.

"담우천은 현 강호무림에서 가장 강한 인물 중의 하나야."

루호 앞에 서서 보고하고 있던 취표(醉豹)가 믿을 수 없다는 표정을 지으며 말했다.

"담우천이라는 분이 무지막지하게 강하다는 건 이 아우도 잘 알 것 같습니다만, 그렇다고 천하제일인(天下第一人)이라는 건……."

"하하, 누가 천하제일인이라고 했느냐?"

"방금 전 형님께서……."

"천하제일이라고 단정지어 말한 게 아니지, 그건. 그저 천하제일인에 가장 가까운 인물이 아닌가, 하는 것뿐이다."

"그게 그 말이 아닙니까?"

"엄연히 다르지."

루호는 잔잔하게 미소를 지으며 말했다.

"우선 오대가문의 가주들만 생각해 보자. 그들이 담우천보다 약할까?"

"그건 아니죠."

"그럼 반대로 말해 보자. 담우천이 오대가문의 가주들보다 약할까?"

"그야……."

"대답하기 전에."

루호가 취표의 말을 가로막았다.

술에 취한 표범이라고 해서 취표였다. 워낙 술을 좋아하고, 또 물 대신 술을 마실 정도로 술을 가까이해서 붙은 별명이었다.

하지만 지금 취표는 취기 대신 의아함이 가득한 눈빛으로 대형 루호를 바라보고 있었다.

그의 대형 루호는 언제나 진지했다. 과묵했으며 신중했다. 맡은 바 임무가 끝나기 전까지는 절대로 한눈을 팔지 않았다. 그것이 허 노야가 그에게 모든 걸 맡길 정도로 신뢰하는 이유이기도 했다.

그런 루호가 지금 미소를 띤 채 이야기하고 있었다.

"무적가의 가주와 전대 가주를 누가 죽였는지 생각하

고 대답하자."

"으음."

취표의 말문이 막혔다.

비록 강만리의 도움을 받았다고는 하지만 저 무적가의 두 가주, 제갈보국과 제갈원을 해치운 사람은 확실히 담우천이었다.

당시 그 소식은 황계뿐만 아니라 유령교에서도 커다란 화제가 되었기에, 취표 역시 익히 잘 알고 있었다.

루호는 대답을 하지 못하는 취표를 보며 싱긋 웃었다.

"그것 봐라. 그러니 담우천과 오대가문의 가주들은 서로 붙어 봐야 그 승패(勝敗)를 짐작할 수 있을 정도의 실력들인 게다."

취표는 조심스레 물었다.

"그럼 그들 대여섯 명만이 천하제일의 자리를 다툰다는 겁니까?"

"물론 아니지."

루호는 웃으며 고개를 저었다.

"오대가문의 가주들이 강하기는 하지. 하지만 그들이 압도적인 무위를 지녀서 당금 천하를 지배하고 있는 건 아니다. 만약 그들에게 가문의 세력과 무력, 그들의 인맥과 태극천맹이라는 존재가 없었다면 결코 천하에 군림하지 못했을 테니까."

루호는 문득 진지한 표정을 지으며 말을 이어 나갔다.

"강하기로만 따지자면, 그러니까 개인의 무공으로만 한정한다면 이른바 공적십이마로 불리시는 어르신들도 결코 빠질 수가 없지. 거기에 소림오로(少林五老)와 같은 전대의 노기인들도 포함시켜야 할 테고……."

가만히 듣고 있던 취표가 눈살을 찌푸리며 끼어들었다.

"그렇게 하나둘씩 포함을 시키면 대략 오십 명은 훌쩍 넘겠는데요?"

"당연하지."

루호는 웃으며 되물었다.

"그럼 지금까지 내가 언급한 사람들 중에서 아니다 싶은 이가 있더냐?"

취표는 또 대답하지 못했다. 막상 천하제일의 반열에서 빼려고 하니까 뺄 만한 후보가 없었던 것이다.

"그런데 말이다."

루호는 소리 없이 웃다가 문득 신중한 표정을 지으며 목소리를 낮췄다.

"노야께서는 나와 전혀 생각이 다르시거든."

취표의 눈이 동그랗게 변했다.

"노야께서요? 어떻게 다르시다는 겁니까?"

"노야께서는 말이지, '천하제일인은 세상에 오직 한 명만 존재한다. 그러니 천하제일이라고 하는 게지.'라는 주의이시거든."

"그럼 노야께서 생각하고 계시는 천하제일인이 따로 있다는 거네요. 그게 누구입니까?"

"누구인 것 같나?"

"글쎄요. 저야 노야와 별로 말을 나눠 본 적이 없어서……."

루호는 가만히 취표를 바라보다가 불쑥 물었다.

"혹시 소공자라고 들어 봤나?"

취표가 고개를 갸웃거리며 되물었다.

"소공자요?"

그러자 루호는 알 듯 모를 듯한 표정을 지으며 재차 물었다.

"그럼 소야는?"

"소야요? 소야라고 불리는 분이 계십니까? 노야의 제자 중에 우리가 모르는 분이 따로 있나요?"

"하하."

루호는 낮게 웃었다.

취표는 영문을 모르겠다는 표정을 지으며 어리둥절했다.

루호가 다시 입을 열려는 순간, 새하얀 안개의 장막을 가르면서 세 명의 장한이 불쑥 튀어나왔다.

루호는 침착하게 말을 바꾸면서 그들을 환영했다.

"수고들 하셨습니다, 화평장의 형제분들."

2. 화평장의 형제분들

"고생들 하셨소."

담우천은 담담한 목소리로 말했다. 그와 함께 장막을 가르며 튀어나온 화군악과 장예추도 루호와 취표를 향해 손을 모으며 인사를 나눴다.

애당초 그들 셋은 유령교와 황계의 지휘 책임을 맡은 루호와 취표를 도와 철목가의 추격을 따돌리고 무적가의 한 축을 교란시키는 역할을 맡았다.

그 와중에 세 사람은 미처 철목가의 추격을 따돌리지 못한 이들을 도와주기도 했고, 또 무적가를 기습할 때 상당한 공훈을 세우기도 했다.

만약 그들 셋이 없었더라면 이번 계획은 결코 이뤄질 수 없었을 것이다. 물론 반대로 유령교와 황계의 도움이 없었다면 당연히 이번 계획은 성사조차 되지 못했을 것이다.

오래간만에 한자리에 모인 다섯 사람은 그간 서로의 노고를 위로하는 한편 이번 계획의 성공을 함께 기뻐했다.

"아직 웃을 때는 아니오."

담우천의 말에 서로 농담을 나누며 웃던 화군악과 취표가 얼른 입을 다물고 정색했다.

담우천은 차분한 어조로 말을 이어 나갔다.

"우선 이곳 일이 어떻게 진행되는지 지켜봐야 하오. 만약 제대로 불이 붙지 않고 흐지부지 꺼진다면 다시 우리가 재투입되어야 할 테니까."

"알고 있습니다."

루호도 차분한 어조로 말을 받았다.

"또한 이쪽 상황만 중요한 게 아니라는 것도 말이죠."

담우천이 고개를 끄덕이며 말했다.

"맞소. 저쪽 상황이 어떻게 진행되느냐에 따라서 이번 계획의 결과가 달라질 테니까 말이오."

"그리고 우리는 그쪽 상황이 끝날 때까지, 최선을 다해서 이 두 가문을 이곳 만인평에 붙잡아 놔야 하는 거고요."

"아! 어째 아는 얼굴들이 많이 안 보인다 했더니……."

루호의 말이 끝나기도 무섭게 화군악이 주위를 둘러보며 끼어들었다.

"지금 이곳에 안 보이는 루호 형님의 동료분들 대부분이 그쪽에 합류했나 보군요."

어린 시절 화군악은 성도부에서 꽤 오랜 시간을 보냈고, 그래서 루호나 그의 다른 형제들과도 친분이 있었다.

물론 그들이 유령교의 잔당이라는 사실은 그들과 친해지고 나서 한참 뒤에야 알게 되었지만.

화군악의 말에 루호는 그를 돌아보며 말했다.

"그렇소. 거기에 황계의 황백들도 대부분 그곳으로 향했소. 그러니 그쪽 상황에 대해서는 크게 걱정하지 않으셔도 될 것 같소."

"그래도 모르는 일이오."

루호의 장담과는 달리 담우천은 어디까지나 신중했다.

"오대가문이 강한 건 가주나 몇몇 장로들 때문이 아니니까. 그들이 천하를 쟁패한 데에는 그만한 이유가 있소. 그걸 간과하는 순간 외려 우리가 패배할 것이오."

종종 사람들은 오해했다. 오대가문의 위세가 가주와 가주를 비롯한 몇몇 고수들에 의해서 비롯된다고.

물론 오대가문의 가주와 몇몇 고수들이 가히 천하제일을 논할 정도의 무공을 지닌 것은 사실이었다. 그러나 그게 전부가 아니었다. 정사대전을 승리로 이끈 이후 오대가문은 지금껏 착실하게 세력을 불려 왔다.

그들은 논공행상을 통해 얻은 재물을 몇 배, 몇 십 배로 불리고, 사마외도의 무공을 통해 자신들의 무위를 더욱 향상했으며, 사로잡은 인재들을 비밀리에 수하로 삼아서 세력을 확장시키기도 했다.

태극천맹의 맹주 정문하가 굳이 오대가문과 전면전을

벌이지 않는 건 너무 많은 피를 흘리게 됨을 저어함도 있었지만, 무엇보다 오대가문과 정면으로 부딪쳐서 승리할 확신이 없었기 때문이었다.

"그건 굳이 말씀하지 않으셔도 익히 잘 알고 있습니다."

루호는 침착하게 말했다.

"오대가문이 강하다는 사실을 누구보다도 잘 알고 있기 때문에 지금껏 쥐죽은 듯 숨어 지내 왔으니까요. 청산(靑山)이 있는 한 땔감 걱정은 없다는 말로 자위하면서 끝까지 버티고 살아남으려 했으니까요."

담우천은 입을 다물었다.

사실 어찌 보면 담우천은 루호와 그의 동료들에게 있어서 원수와 다를 바가 없었다. 정사대전 당시 담우천은 정파의 암살 집단인 사선행자를 이끌면서 사마외도의 수많은 마두들을 해치웠으니까.

그리고 그렇게 암살한 이들 가운데에는 유령교의 거물들도 적지 않았으니까.

루호는 여전히 담담한 기색으로 말을 이어 나갔다.

"지금 상황을 보자면 그런 우리에게 천재일우의 기회가 온 셈이죠. 이 유일한 기회를 겨우 방심이나 자만 따위로 놓칠 수는 없지 않겠습니까?"

"옳은 말씀이오."

담우천이 고개를 끄덕이는 순간, 안개 저편에서 거무튀튀한 신형이 불쑥 튀어나오더니 이내 허리를 숙이며 말했다.

"화평장으로 일곱 번째 전서응을 보냈습니다. 이제 세 마리가 남았습니다."

화군악을 대신하여 전서응을 담당하는 황계 측 무사의 보고였다. 화군악이 그를 돌아보며 말했다.

"다음 전서응도 준비해 주세요. 원가로착의 계획은 착실하게 진행 중이며……."

그렇게 화군악이 전서응의 쪽지에 적을 내용에 대해서 설명하고 있을 때였다. 이번에는 오른쪽 안개 저편에서 또 다른 신형이 황급히 튀어나오면서 소리쳤다.

"전황이 급변하는 중입니다! 전투가 소강상태로 접어들었습니다!"

일순 화군악은 입을 다물고 무사를 돌아보았다. 담우천과 루호, 장예추와 취표도 동시에 그에게로 시선을 돌렸다.

유령교의 신도(信徒)인 사내는 숨을 헐떡거리면서도 빠른 어조로 보고를 이어 나갔다.

"철목가 삼단주와 무적가 가주 대리가 정면으로 부딪치는가 싶더니 이내 거리를 두고 무기를 거둔 채 대치 중입니다!"

루호를 비롯한 사람들의 얼굴빛이 동시에 변했다.

애당초 이번 계획에는 철목가와 무적가의 대치 장면이 존재하지 않았던 것이다.

만약 그들이 싸움을 멈추고 대화를 시작한다면, 그래서 뭔가 어긋나고 일그러진 부분을 발견한다면 지금껏 구상하고 실행해 왔던 모든 계획이 한순간에 무너질 수도 있었다.

"얼른 가서 상황을 확인하고 차후 방법을 강구해야 할 것 같습니다."

장예추의 말에 루호가 고개를 끄덕인 후 화평장 사람들을 둘러보며 말했다.

"그래야 할 것 같소. 그럼 이곳은 우리에게 맡기고 여러분들은 이만 성도부로 돌아가심이……."

"우리도 함께 가죠."

화군악이 루호의 말을 중간에서 자르며 끼어들었다.

"만에 하나 저들과 정면으로 부딪칠 경우도 생각해야 하니까요."

그는 씨익 미소를 지으며 말했다.

"사실 안 그래도 저 무적가와 철목가의 고수들이 얼마나 강한지 한번쯤 정식으로 싸워 보고 싶었거든요."

루호는 화군악을 가만히 바라보았다.

굴강한 의지가 담긴 그의 눈빛, 그의 미소에서 감당할

수 없는 기세가 걷잡을 수 없이 흘러나오고 있었다.

그 어떤 자와 싸워도 이길 수 있다는 자신감이, 좀 더 강한 자와 싸워서 승리를 거두고 싶다는 호승심이 그의 등 뒤로 광휘(光輝)처럼 뻗어 나왔다.

"이해하시오. 아직 젊어서 그러오."

담우천이 차분한 어조로 말했다.

"아직 싸움을 좋아할 나이이고, 누가 더 강한지 겨루는 걸 즐길 때라 그렇소. 제일 좋은 건 싸우지 않고 승리하는 일이라는 걸 아직 몰라서 그렇소."

그러자 화군악이 입을 삐죽이며 물었다.

"그럼 형님은 저들과 겨뤄 보고 싶지 않으세요? 저 철목가의 단주들이 얼마나 강한지, 그리고 무적가의 태상장로(太上長老)가 과연 내 상대가 되는지 확인해 보고 싶지 않으세요?"

담우천은 가만히 그를 바라보다가 무뚝뚝하게 대답했다.

"그런 건 겨뤄 보지 않아도 알 수 있다."

"헤에, 정말이요? 그럼 누가 제일 강한데요?"

화군악의 질문에 루호와 장예추 모두 담우천의 입으로 시선을 돌렸다. 과연 그의 입에서 어떤 대답이 나올지 다들 궁금한 눈빛이었다.

담우천은 망설이지 않고 대답했다.

3. 누가 보광을 죽였나?

비룡맹군의 쌍장을 교차하며 크게 휘둘렀다. 두 손바닥
에서 생성된 내공의 기류가 한데 뒤섞이더니 이내 거대
한 회오리바람이 되었다.

우우웅!

한 줄기 용권풍(龍捲風)이 거세게 휘몰아치며 주변의
새하얀 운무를 집어삼켰다. 동시에 안개에 휘감겨 있던
주위의 시야가 활짝 열렸다.

뻥 뚫린 시야 저편, 느닷없이 생성된 용권풍에 놀란 무
적가 무사들이 당황한 기색으로 엉거주춤 서 있는 광경
이 들어왔다.

'음?'

일순 비룡맹군의 짙은 눈썹이 꿈틀거렸다. 수십 명의
무적가 무사들 중앙에 한 명의 노인네가 우뚝 서 있는 모
습이 그의 시선에 들어왔던 것이다.

태산 같은 기도!

노인은 천하를 아우를 것 같은 위엄과 기세가 전신을
휘감은 채 심해처럼 깊고, 장강처럼 유장한 시선으로 비
룡맹군과 무적검군을 쏘아보고 있었다.

비룡맹군은 그 노인은 보자마자 단숨에 깨달았다.

'이 노인네가 제갈천상이로군!'

정확한 추측이었다.

아무리 무적가에 고수가 많다 한들, 이만한 기도와 위엄을 뿌릴 수 있는 사람은 오직 태상장로 제갈천상 하나뿐이었으니까.

무적가의 가주 제갈보국과 소가주 제갈원이 비명횡사한 이후, 은거 중이었던 삼숙(三叔) 제갈천상이 다시 강호로 돌아와 가주 대리를 맡고 있다는 사실은 이미 사대가문 내에 널리 알려져 있었다.

그 소식을 접한 사대가문의 원로들은 오직 그만이 무적가의 가주 역할을 수행할 수 있을 거라면서 고개를 끄덕였다.

제갈천상은 제갈보국의 숙부로, 은거하기 전까지는 태상장로라는 이름으로 무적가의 든든한 배경이 되어 주었다. 그의 명성은 저 소림오로나 무당검로들과 어깨를 견주었고, 또한 지난 정사대전 당시 수많은 사마외도의 거마들을 척살하는 공훈을 세우기도 했었다.

어쩌면 무림인들에게 있어서 경외의 대상이자 존경의 인물인 제갈천상, 그가 지금 비룡맹군과 무적검군의 눈앞에 서 있는 것이다.

'안 그래도 얼마나 강한지 한번 싸워 보고 싶었소!'

비룡맹군은 속으로 고함을 지르며 냅다 쌍장을 휘둘렀다.

우우웅!

그의 손에서 다시 내공의 기류가 쏟아져 나오더니 이번에는 한 마리 비룡(飛龍)처럼 거세게 꿈틀거리며 제갈천상을 향해 쏟아져 나갔다.

일순 제갈천상은 눈썹을 찌푸리며 중얼거렸다.

"비룡강기(飛龍罡氣)?"

제갈천상은 왼발을 뒤로 빼서 비스듬히 비켜서는 동시 오른손을 앞으로 내밀며 가볍게 회전시켰다.

맹렬한 기세로 덮쳐들던 새하얀 강기는 마치 강아지의 목덜미를 쓰다듬고 어루만지는 것처럼 한없이 온유하고 부드러운 손길에 의해 방향이 틀어지더니, 그대로 제갈천상의 오른쪽 지면으로 내리꽂혔다.

콰앙!

맹렬한 굉음과 함께 흙먼지가 피어오르는 가운데, 이번에는 새파란 한 줄기 검광(劒光)이 제갈천상의 목젖을 꿰뚫었다.

이번에도 제갈천상은 그 검광의 초식명을 정확하게 알아맞혔다.

"호오, 무적일섬(無敵一閃)?"

제갈천상은 비스듬히 선 자세 그대로 어깨를 틀었다. 새파란 섬광이 그의 목덜미를 스치듯 지나쳤다 싶은 순간, 그대로 방향을 틀며 제갈천상의 목을 그어 왔다.

실로 믿을 수 없는 일격이었다.

모든 전력을 다해 내지는 쾌검이 실패로 돌아가는 순간, 빠르게 찔러가던 동작을 멈추는 동시 그로 인해 파생하는 과부하와 충격을 끝까지 견디면서 한껏 어깨와 팔과 손목을 비틀어야만 비로소 가능한 동작이었다.

그러나 제갈천상은 전혀 놀라지 않았다.

"허어, 무적검군의 검이 제법 매섭다는 소리를 듣기는 했거늘……."

제갈천상은 중얼거리면서 두 다리를 찢듯이 펼쳐 지면으로 몸을 낮췄다. 그리고는 무적검군의 검이 제 머리 위를 빠르게 훑고 지나가는 순간, 그대로 다리를 일으켜 세우면서 가볍게 손을 뻗었다. 놀랍게도, 그 손바닥 앞에는 무적검군의 텅 빈 가슴이 펼쳐져 있었다.

"흠!"

무적검군의 입에서 가벼운 신음이 흘렀다.

검을 내질렀다가 휘두르는 상황인지라 그의 가슴은 무방비 상태로 활짝 열려 있었고, 제갈천상의 손은 그 순간적인 빈틈을 찾아서 정확하게 무적검군의 심장을 가격했다.

일격즉사(一擊卽死)의 순간!

하지만 무적검군도 만만한 인물은 아니었다. 그는 마치 예상이라도 했다는 듯 왼손을 뻗어 제갈천상의 손목을 낚아챘다.

　제갈천상은 살짝 눈살을 찌푸리면서 손은 비틀어 역으로 무적검군의 손목을 잡아갔다. 마치 두 마리의 뱀이 몸을 꼰 채 서로 목을 물어뜯기 위해 연신 혀를 날름거리는 듯한 동작이 이어졌다.

　그러나 제갈천상은 그 금나술(擒拿術)의 싸움에 정신을 집중할 수가 없었다. 또 다른 강기가 미친 듯한 기세로 그의 옆구리를 파고들었던 까닭이었다. 비룡맹군의 일격이었다.

　"허어!"

　제갈천상은 탄식을 흘리며 지면을 박차고 몸을 뒤로 날렸다. 새하얀 강기가 안개 속으로 사라졌다.

　그때였다.

　비룡맹군이 날려보낸 용권풍에 의해 흩어졌던 안개가 다시 그 위용을 발휘하기 시작했다. 이내 사방이 새하얀 안개에 휩싸였다.

　불과 이삼 장 떨어져 있는 비룡맹군과 무적검군의 모습이 흐릿해지는가 싶더니 곧 안개 저편으로 자취를 감췄다.

　제갈천상은 한 차례 호흡을 가다듬은 후 천천히 입을 열었다.

　"누가 보광을 죽였나?"

그의 목소리는 낮았다.

하지만 안개 장막 저편에 서 있던 비룡맹군과 무적검군의 귀에는 물론, 인근 만인평 주변 백여 장 밖까지 제갈천상의 목소리가 울려 퍼졌다.

'젠장.'

비룡맹군은 무적검군을 돌아보며 속으로 투덜거렸다.

'이런 소리를 듣기 전에 해치울 작정이었는데.'

하지만 제갈천상은 그들의 생각보다 훨씬 강했다. 비룡맹군의 십 성 내공이 담긴 비룡강기를 가볍게 뿌리치는 것이나, 무적검군의 쾌검과 회검(廻劍)을 피하는 동시 역습을 가한 것을 보면 확실히 무적가 최고의 고수라는 소리를 들을 만한 인물이었다.

비룡맹군과 무적검군이 아무 대꾸를 하지 않자, 안개 저편에서 다시 제갈천상의 질문이 들려왔다.

"정극신이 그리 시킨 겐가?"

'으음.'

질문을 들은 비룡맹군은 더욱 곤혹스러운 표정이 되었다. 이대로라면 철목가와 무적가의 전쟁을 피할 수 없게 된다. 과연 철목가 가주 정극신이 그걸 원했을까.

비룡맹군은 잠시 입술을 깨물다가 입을 열었다.

"철목가의 비룡이 무적가 태상장로께 인사드립니다."

제갈천상을 대신하는 별칭은 제법 많았다. 삼숙(三叔)

이 그중 하나였고 태상장로가 그중 하나였으며 무적철혼(無敵鐵魂)이라는 별호도 그중 하나였다.

비룡맹군은 그 여러 별칭 중에서 가장 무난하고 또 널리 알려진 태상장로를 택해 제갈천상을 불렀다.

안개 저편에서 제갈천상이 피식 웃는 소리가 들렸다.

"다짜고짜 죽이려 덤벼들더니 이제 와서 인사는 무슨……."

비룡맹군은 절로 쓴웃음을 지었다.

하기야 입이 열 개라도 변명할 수 있는 상황이 아니었다. 그러나 몇 가지 오해를 풀고, 제대로 대화를 나누기 위해서는 그래도 서로 인사는 나눠야 했다.

비룡맹군이 옆구리를 치자 그제야 무적검군도 입을 열었다.

"철목가의 무적이오."

무적검군은 꽤나 화가 난 모습이었다.

당연했다. 그의 쾌검과 회검이 막힌 데다가 외려 하마터면 저 늙은이의 손에 큰 부상을 입을 뻔했으니까.

절대 이렇게 끝나면 안 될 일이었다. 무적검군이라는 별명에 금이 가게 놔둘 수는 없었다.

어쨌든 철목가의 두 단주가 정식으로 인사를 하자 제갈천상도 예의상 입을 열었다.

"무적가의 천상이네. 그럼 이제 왜 보광과 다른 아이들을 공격하고 죽였는지 이야기해 보게."

비룡맹군은 기다렸다는 듯이 말을 받았다.

"그건 우리가 묻고 싶은 말입니다. 왜 우리 광철단과 단주 추경광을 살해했습니까?"

"응?"

제갈천상의 눈매가 휘어졌다.

"그게 무슨 소리인가?"

비룡맹군은 거침없이 말했다.

"작년 본가의 광철단 소속 백오십 명이 성도부에 들렀다가 귀하의 수하들과 유령교에게 합공을 당해 몰살당한 일이 있었습니다. 도대체 그게 어찌 된 일인지부터 묻고 싶군요."

제갈천상은 가볍게 눈살을 찌푸렸다.

'작년이라면 충인과 충무 이야기인가?'

당시 제갈충인과 제갈충무는 수십 명의 무사들과 함께 실종된 제갈충렬의 행방을 찾기 위해 사천 일대를 수색한 적이 있었다.

하지만 그들 역시 제대로 된 연락도 없이 성도부에서 실종했으며, 그래서 제갈보광이 오백의 수색대를 이끌고 성도부를 찾아왔던 것이다.

'흠, 그럼 그때 철목가 녀석들과 부딪쳤던 게로군.'

제갈천상은 내심 한숨을 쉬었다.

당시 보고에 따르면 확실히 제갈충인들은 성도부에서

철목가 사람들, 광철단과 여러 차례 마주쳤다고 했다.

물론 제갈충인은 소란이 일지 않도록 최대한 주의했고 또 그런 식으로 보고를 했기 때문에, 그들의 실종에 있어서 제갈천상이나 다른 장로들 모두 철목가를 의심하지 않았던 것이다.

'아니, 그건 그렇다 치고…… 유령교라니?'

제갈천상은 눈을 가늘게 뜬 채 비룡맹군을 주시하면서 낮은 목소리로 물었다.

"유령교가 본가를 도와 철목가의 무사들을 몰살시켰다는 게 말이 된다고 생각하나? 아니, 반대로 말하지. 본가가 유령교의 도움을 받아 가면서까지 철목가 무사들을 몰살시킬 이유가 있다고 생각하나?"

순간 비룡맹군은 낯을 찌푸렸다.

안 그래도 논리적으로 무리라고 생각했던 곳을, 제갈천상이 정확하고 날카롭게 찔러 왔던 것이다. 비룡맹군의 얼굴이 화끈거리기까지 했다.

그나마 안개의 장벽으로 인해 서로의 얼굴을 제대로 볼 수 없다는 게 천만다행이었다.

8장.

혼돈미무(混沌迷霧)

설벽린은 주위를 둘러보았다.
사실 만인평은 험지라고까지 할 정도는 아닌 평범한 황무지였다.
하지만 이렇게 혼돈(混沌)의 미무(迷霧)로
온 천지가 새하얗게 뒤덮여 있는 지금의 만인평은
확실히 둘도 없는 험지라 할 수 있었다.

1. 총관(總管)

"……라는 게 두 단주의 결론이었습니다."

항조군의 긴 보고가 드디어 끝났다. 정면 의자에 앉아 있던 정극신은 쉽게 입을 열지 않았다. 고개 숙인 항조군의 이마에 송골송골 땀이 맺혔다.

그렇게 초조한 침묵이 이어지는 가운데 얼마나 시간이 흘렀을까.

마침내 정극신이 입을 열었다.

"흠."

한 가닥 신음도 탄식도 아닌 묘한 음성이었다.

동시에 항조군은 저도 모르게 가슴이 철렁 내려앉았

다. 아무래도 제 명에 못 죽겠다는 생각이 언뜻 그의 뇌리를 스치고 지나갔다.

한 손을 의자 팔걸이에 올리고 턱을 괸 채 비스듬히 앉아 있던 정극신은 다리를 꼬며 다시 입을 열었다.

"그게 무적검군과 비룡맹군의 판단인가?"

"그렇습니다."

얼마나 긴장하고 있었는지 대답하는 항조군의 목소리가 새어 나왔다. 그는 얼른 잔기침을 하며 목소리를 가다듬은 후 말을 이어 나갔다.

"두 단주는 광천단이 무적가 무사들에 의해 몰살을 당한 건 아니다, 이런저런 상흔을 살펴보건대 무적가 특유의 무공이 아닌 것들이 여럿 발견할 수 있었다, 이렇게 확인해 주었습니다."

"그야 당연한 게지. 겨우 수십 명밖에 되지 않는 무적가 놈들에게 몰살당할 정도로 허약한 광철단이 아니니까. 내 밑에 그런 졸자들은 없으니까."

"물론입니다, 가주."

"그렇다면 무적가를 도와서, 혹은 무적가와 본가의 뒤를 친 자들은 누구라고 하더냐?"

"그게…… 죄송합니다만, 두 단주 역시 거기까지는 알 수 없다고 했습니다. 뼈와 살점에 남겨진 상흔만으로는 뭔가 특정할 만한 것들을 찾을 수가 없다고 했습니다."

"흠……."

정극신은 손가락으로 제 턱을 툭툭 치며 생각하다가 불쑥 물었다.

"시신들의 수가 적다고 했던가?"

"네, 그렇습니다. 일일이 세어 가며 확인했지만 광철단 백오십 전원이 아닌 백육 구, 그리고 무적가의 시신들로 추정되는 시신의 수가 이십일 구에 불과했습니다."

"그럼 대략 오륙십 구가 비는군. 그것들은?"

"두 단주의 추측으로는 아마 관아 사람들이 거두기 전에 산짐승들이 물어 갔을 가능성이 크다고 했습니다."

"성도부 야산에 얼마나 많은 산짐승이 있어서 오륙십 여 구나 되는 시신을 물어 갔을까?"

"그, 그야……."

"누군가 빼돌렸을 가능성은?"

"그, 그건……."

"만약 본가와 무적가 무사들의 뒤를 친 자들이 있다면, 그래서 그 시신에 자신들의 흔적이 남아 있다면, 아무래도 흔적이 남은 시신들은 따로 빼돌렸을 가능성이 크겠지?"

"아…… 네, 확실히 그럴 가능성이 매우 크겠군요."

항조군은 저도 모르게 고개를 끄덕이며 정극신의 추측에 동의했다.

정극신은 가볍게 눈살을 찌푸렸지만 항조군은 고개를 숙이고 있어서 전혀 눈치채지 못했다. 외려 그는 정극신의 이야기에 정신이 팔린 듯, 연신 고개를 끄덕이면서 말을 이어 나갔다.

"그렇다면 모든 게 맞아떨어집니다. 안 그래도 학 추관이 말하기를 유령교와 무림오적이라는 자들이 이곳에 있으며 또한 불과 얼마 전에도 그들과 무적가 사람들이 한바탕 크게 싸웠다고 했으니……. 역시 광철단 몰살의 배경에는 유령교와 무림오적이 있는 게 분명합니다."

항조군은 눈빛을 빛내며 고개를 들었다가 자신을 물끄러미 지켜보고 있던 정극신과 시선이 마주치자, 화들짝 놀라며 황급히 고개를 숙였다.

"죄, 죄송합니다."

사과하는 그의 목소리가 벌벌 떨리고 있었다.

"함부로 속하의 추측을 말씀드리다니, 죽을죄를 지었습니다."

"알고 있기는 하는구나."

정극신의 냉랭한 음성이 항조군의 머리 위로 내려앉았다.

"평소라면 크게 혼을 낼 일이나, 때가 때인지라 이번에는 그냥 넘어가 주마."

"가, 감사합니다."

"그럼 이왕 입을 열었으니 계속 말해 보아라."

"네? 지, 지금 말씀드린 게 전부입니다만……."

"아니지."

정극신은 고개를 저었다.

항조군이 움찔거렸다. 항조군은 정극신의 다음 말이 이어지기만을 기다렸지만, 그의 입은 쉽게 열리지 않았다.

'무슨 뜻으로 말한 것인지 추측한 다음, 그에 알맞은 대답을 하라는 의미인가?'

항조군은 빠르게 머리를 굴렸다.

하지만 아무리 머리를 굴려 보아도 항조군은 정극신의 그 의중을 제대로 파악할 수가 없었다. 식은땀이 속옷을 적시고 온몸에 소름이 돋았으며 수시로 가슴이 조여 와 숨조차 제대로 쉬기 힘들었다.

'이게 내가 함부로 추측했다고 내리는 벌이라면…….'

일순, 내심 중얼거리던 항조군의 눈가에 이채의 빛이 발했다.

'추측이라…….'

불현듯 뭔가 떠오르는 생각이 있었다.

'지금까지는 이미 벌어졌던 상황에 대해 추측한 이야기를 했으니 이제는 앞으로 벌어질 상황, 아니면 앞으로 해야 할 일들에 대해서 추측하여 말하라는 것일까?'

물론 그게 아닐 수도 있었다. 하지만 맞을 가능성도 있었다. 무작정 이렇게 심장마비가 올 것 같은 침묵을 유지하니, 차라리 맞건 틀리건 말하는 게 낫다 싶었다.

그래서 항조군은 '될 대로 돼라.'라는 심정으로 입을 열었다.

"유령교의 잔당 대부분이 무적가를 추적하는 데 동원되었으니 현재 성도부에 남아 있는 자들은 그리 많지 않을 겁니다. 그러니 금강천존과 수하 백오십 명을 모두 풀어 유령교의 잔당과 본거지를 색출하는 작업을 실시해야 할 것 같습니다. 한편으로는 무림오적이라는 조직의 크기가 어느 정도 되는지, 또 그 본거지가 어디인지 확인하는 일도 함께 진행해야 한다고 생각합니다. 일전에 정보를 얻었던 연풍회의 정보력을 이용하는 것도 그중 한 방법이라고 생각합니다."

마치 미리 생각해 두었다는 듯이, 항조군은 빠른 어조로 제법 긴 이야기를 마쳤다. 그리고는 지금 자신이 한 말이 정극신의 심기를 건드릴 수도 있다는 사실을 걱정하면서 고개를 푹 숙였다.

"흠……."

그의 머리 위로 정극신의 무거운 신음이 떨어졌다. 항조군의 다리가 부들부들 떨리는 가운데, 정극신의 말이 이어졌다.

"그렇게 하도록."

"네?"

항조군은 예상 밖의 말에 깜짝 놀라며 저도 모르게 고개를 들어 정극신을 쳐다보았다.

정극신은 눈살을 찌푸리며 거듭 말했다.

"그렇게 하라니까."

"아, 네. 알겠습니다. 가주의 지시를 따르겠습니다."

항조군은 얼른 머리를 조아리고는 서둘러 객청을 빠져나갔다.

늦겨울의 서늘한 바람이 불었다. 땀으로 흠뻑 젖은 항조군은 길게 한숨을 토해 내며 그 시원함을 즐기다가 재빨리 금강천군이 머무는 별채로 향했다.

"마음에 들지 않아."

정극신은 문밖에서 들려오는 항조군의 한숨 소리에 재차 눈살을 찌푸리며 중얼거렸다.

생각보다 간담이 약한 총관이 마음에 들지 않았다. 또 그렇게 간담이 약하면서도 제 할 말은 끝끝내 다 마치는 모습도 마음에 들지 않았다.

무엇보다 그 마음에 들지 않는 총관이 정극신의 속내를 읽은 것처럼, 그의 생각과 거의 일치한 답변을 한 게 가장 마음에 들지 않았다.

그건 마치 〈계륵(鷄肋)〉을 두고 조조가 양수를 마음에 들어 하지 않았던 심정이라고도 할 수 있었다.

"흥! 하지만 나는 조조처럼 어리석지는 않으니까."

그렇게 중얼거리던 정극신은 저도 모르게 피식 웃었다. 어째 지금 자신의 모습이 어린아이의 치기처럼 느껴졌던 것이다.

"허어. 나이가 들수록 어린아이가 된다더니. 확실히 나도 이제 나이가 든 모양이로구나. 예전과 달리 총관 따위 하나 죽이는 일도 주저하고 말이지."

정극신은 쓸쓸한 미소를 지은 채 중얼거리다가 문득 허공을 향해 입을 열었다.

"어쨌든 어찌 될지 모르는 일이니 몇 명 후보를 찾아놓아라. 이번에는 머리 굴리지 않고 오로지 명령과 지시에만 따르는 녀석을 말이다."

객청 어딘가에서 희미한 목소리가 들려왔다.

"존명."

열두 시진 내내 철목가 가주 정극신의 지근거리에 몸을 숨긴 채 그를 보호하고 주변을 경계하는 최정예 호위대의 목소리였다.

2. 유가밀공(瑜伽密功)

"지독한 안개로군."

"정말 지독하군. 말 그대로 자네 얼굴조차 제대로 보이지 않을 정도로 짙은 안개야. 살다살다 이렇게 짙은 안개는 처음 보네."

"하기야 사천의 안개는 예로부터 유명했지. 얼마나 안개 낀 날이 많은지 촉(蜀)의 개는 해만 보면 짖는다는 이야기도 있으니까. 워낙 해가 낯설어서 말일세."

"그렇다고 이럴 줄은 몰랐네. 마치 눈뜬 봉사가 된 듯한 기분이네. 자네의 제자가 혹시 모른다고 해서 모처럼 산 등(燈)도 전혀 소용이 없잖나?"

"내 제자? 자네의 제자는 아니고?"

"허어. 녀석은 어디까지나 자네의 제자이지. 나는 그저 몇 가지 재간을 전해 줄 뿐이고."

"그렇게 자신의 재간을 전해 주는 사람을 두고 제자라고 말하는 걸세. 아직도 그걸 모르고 있었나?"

"아니, 아니. 잠시만요. 저 여기 있습니다. 괜히 없는 사람 취급하지들 마시라고요."

"그래. 마침 잘 끼어들었다. 만인평 일대가 이런 상황인 줄 알면서 굳이 길을 재촉해야 했더냐? 아까 등을 샀던 마을에서 하룻밤 정도 푹 쉬면서 기력을 보충한 다음에 아침 일찍 출발했으면 얼마나 좋았겠느냐?"

"아휴, 몇 번이나 말씀드렸잖습니까? 행여 놈이 성도부에 당도하기 이전에 우리가 먼저 들어가서 알려야 한다고요."

"흠. 내 생각에는 아무래도 네가 너무 과민 반응을 하는 것 같구나. 무엇보다 그 애송이의 신분이나 정체, 목적을 전혀 모르지 않느냐? 그저 성도부의 지인을 만나러 간다. 자신을 만나고 싶으면 황계에게 물어봐라. 그것 두 가지만으로 이렇게 오두방정을 떨고 있으니 말이다."

"아니, 어찌 그것 두 가지뿐입니까? 녀석이 만해 사부를 찾고 있다는 사실은 왜 쏙 빼놓는 건데요?"

"아! 그것도 있었지."

"에휴. 생각해 보십시오. 만해 사부의 체형이 좀 특이합니까? 만약 마을 객잔에 들러서 하룻밤 묵는다면 아마 그다음 날, 마을은 물론 주변 백여 리까지 소문이 날 겁니다. 항아리와 똑 닮은 늙은이를 봤다고 말입니다."

"흠, 틀린 말은 아닌 것 같군."

"그렇게 만해 사부의 흔적을 남기다가는 반드시 녀석의 이목에 걸릴 겁니다. 그러니 그렇게 되기 전에, 얼른 화평장에 돌아가자는 거죠. 어쨌든 그곳에는 우리 형제들이 있으니까요."

"으음, 그건 듣기에 따라서 조금 자존심 상하는 말이군 그래. 지금 내가 자네들을 도우러 가는 게 아니라 자네들의 보호를 받으러 간다는 게 아닌가?"

"뭘 그리 따지십니까? 그게 그거죠."

"아니, 어찌 그게 그건가?"

"우리를 도와주면서 또 우리에게 보호받을 수도 있지 않겠습니까? 그런 걸 두고 상부상조라고 하는 거고요."

"호오, 내 앞에서 문자를 쓰는 게냐?"

"그런 건 문자 축에도 들어가지 않는다고요. 아니, 안 그래도 지금 사부 때문에 제 머리가 가뜩이나 복잡하거든요? 겨우 그런 문자 가지고 이렇게 왈가왈부할 때가 아니라고요."

"응? 나 때문에? 왜 머리가 복잡한데?"

"당연하잖습니까? 어떻게 하면 사람들의 눈에 띄지 않고 사부를 화평장까지 모시고 갈 수 있나, 하는 방법을 강구하느라고요."

"흠, 하기야 누구든 날 보는 날에는 그대로 동네방네 소문이 퍼졌으니까. 굳이 내가 사람 없는 범정산 첩루봉에 자리를 잡은 것도 그게 귀찮아서이기는 하지."

"그러니까요."

"하지만 변장을 하면 되지 않는가?"

"벼, 변장이요? 하하하. 어떻게 변장하시려고요? 설마 그 항아리 같은 체구에다가 솜 같은 걸 넣어서 더 풍뚱하고 크게 변장하시려고요?"

"아니, 홀쭉하게 변장하는 게지."

"홀쭉하게요?"

"그래. 이렇게 말일세."

"이렇게라니…… 어어?"

설벽린은 깜짝 놀라 눈이 휘둥그레졌다. 일순간 희뿌연 안개에 가려진 만해거사의 모습이 다르게 보였던 것이다.

그는 좀 더 제대로 확인하기 위해서 등을 높이 들었다. 주변을 감싸고 있던 새하얀 안개가 그 손짓에 따라 물결처럼 밀려갔다가 다시 밀려왔다.

그 안개의 물결을 따라 달라진 만해거사의 모습이 드러났다.

항아리처럼 우스꽝스러운 체구의 만해거사는 온데간데 없었고, 대신 늘씬하고 중후한 모습의 노인이 전혀 맞지 않은 옷을 입은 채 그 자리에 서 있었다.

동그랗게 눈을 뜬 설벽린은 그 노인의 머리부터 발끝까지 훑어 내렸다.

살이 홀쭉하게 빠진 대신 두 뼘 가까이 커져서 외려 설벽린보다 반 치 정도 키가 커 보였다. 동글동글하고 탱탱하게 윤이 나던 얼굴은 주름살로 뒤덮였고, 광대뼈가 드러날 정도로 홀쭉하게 변했다.

입고 있던 옷도 체형의 변화에 따라 길이는 줄어들었고 품은 늘어나서 우스꽝스럽다 못해 기괴해 보이기까지 했다.

만해거사는 그런 기이한 모습을 한 채 어깨를 으쓱거리며 말했다.

"어떠냐? 이 정도면 완벽한 변신이 아니더냐?"

잠시 할 말을 찾지 못하던 설벽린은 뒤늦게 더듬거리며 겨우 대꾸했다.

"그, 그러네요. 확실히 그 모습이라면 그 누구도 만해 사부가 누구인지 전혀 알아볼 수 없을 겁니다."

"허허, 그렇지?"

만해거사는 활짝 웃었다.

주름진 얼굴에 환한 미소가 퍼졌다. 젊은 시절, 준수한 외모였다는 이야기가 사실인 듯 그의 콧날은 여전히 우뚝했고 눈은 크고 눈빛은 깊었으며 만면의 미소는 보는 이조차 기분 좋게 만들고 있었다.

'그나저나 어떻게 해서 이렇게 바뀔 수가 있는 거지?'

의아해하던 설벽린은 문득 첩루봉의 일을 떠올렸다. 당시 설벽린은 파천쌍창과 싸우던 만해거사의 몸이 한순간 홀쭉해지는 듯한 광경을 지켜본 적이 있었다.

하지만 당시 워낙 다급하고 급박한 혈투가 벌어지고 있었던 까닭에 설벽린은 그저 '어라?' 하고는 순간적으로 착각을 일으켰다고 생각하고 넘어갔다.

'지금 와 생각해 보니 착각이 아닌 거지. 만해 사부는 자신의 체형을 마음대로 바꿀 수가 있었던 거야.'

설벽린은 그렇게 생각하며 입을 열었다.

"축골공(縮骨功) 같은 겁니까?"

축골공은 말 그대로 뼈와 근육을 축소시켜서 체구를 작게 만드는 무공이었다. 기본적으로 축골공은 서장(西藏)에서 전해진 무공으로, 살수(殺手)나 도적 등 은밀한 행사를 벌이는 이들이 익히는 무공이었다.

반면 축골공과 반대로 뼈와 근육을 늘여서 몸을 키우는 수법은 확골공(擴骨功)이라고도 하는데, 일반적으로 축골공의 보조 개념처럼 사용되는 무공이었다.

"흠, 비슷하다고 할 수 있지."

만해거사는 애매모호하게 대답했다. 설벽린은 잠시 생각하다가 재차 입을 열었다.

"그럼 내공과 관련이 있나 보죠?"

"호오."

만해거사가 새삼스럽게 눈을 가늘게 뜨고 설벽린을 바라보았다. 제법 머리 좀 굴릴 줄 아는구나, 하는 표정이었다.

설벽린은 가볍게 눈을 찌푸리며 말했다.

"세 살 어린아이도 그 정도 생각은 할 겁니다."

"그래? 나는 전혀 눈치채지 못했는데?"

유 노대가 끼어들었다. 설벽린이 한숨을 쉬며 말했다.

"유 사부께서 먼저 그리 말씀하지 않으셨습니까? 만해

사부의 그 뚱뚱한 체형은 살이 아니라 내공이 모여서 그렇게 된 거라고요. 내공을 외공처럼 전신에 둘러서 금강불괴와 같은 신체를 만들었다고 말이에요."

"흠, 그런데?"

"그 외현화된 내공을 체내로 거두거나 혹은 무기에 집중하여 발현시키는 순간, 만해거사는 당연히 홀쭉하게 변하겠죠. 전신을 휘감고 있던 내공이 사라졌으니까요."

"그래. 거기까지는 이해가 가네. 하지만 그렇다고 해서 갑자기 키가 커지고 인물까지 훤칠해지는 건 아닌 것 같은데."

"거기까지는 저도 잘 모르겠습니다."

"허어, 그럼 네 녀석도……."

"하지만 서장의 유가밀공(瑜伽密功) 때문인 것만은 확실한 것 같아요. 이렇게 내공을 단전으로 거둬들이면 키가 커지는 것이 그 무공의 특징일 수도 있으니까요. 음, 아니면 내공이 전신 기맥을 휘돌면서 확골공의 효과를 내는 것일 수도 있고요."

"정답이다."

가만히 듣고 있던 만해거사가 고개를 끄덕이며 말했다. 유 노대는 물론 심지어 설벽린조차 깜짝 놀란 눈으로 그를 돌아보았다.

만해거사는 기특하다는 눈빛으로 설벽린을 바라보며

말을 이어 나갔다.

"내가 익힌 유가밀공의 특성이 바로 거기에 있거든. 내
공을 호신강기처럼 사용하여 전신을 휘감으면 예의 그
항아리 같은 체형이 되고, 다시 내공을 거둬들여 전신의
기맥과 혈맥에 골고루 퍼지게 하면 예전의 내 모습을 되
찾을 수가 있는 게지."

"호오, 그게 자네가 서장에까지 가서 익힌 유가밀공인
겐가? 정말 기상천외한 무공이군그래."

유 노대가 혀를 내둘렀다.

"그렇고말고."

만해거사는 어깨를 으쓱거리며 이야기했다.

유가(瑜伽:요가)는 명상과 호흡, 육체의 수련 등을 통
해서 몸과 마음과 정신을 융화하고 조화를 이루게 만드
는 심신 수련이었다.

거기에 서장 특유의 밀법(密法)을 가미시켜 호흡법을
체계화하고 내공과 외공을 발전시키며 더 나아가 내공과
외공이 하나로 융화, 합일(合一)시키고자 하는 무공이 바
로 유가밀공이었다.

그렇게 시작된 유가밀공은 각 종파의 수련 방식이나 해
석의 차이로 인해 아홉 가닥으로 분파(分派)되었고, 그
분파들은 각 지도자의 개성과 깨달음, 수련 결과로 인해
다시 여러 갈래의 지류(支流)로 갈라졌다.

그리하여 현재 서장의 밀공은 크게 아홉 가닥의 분파와 그 분파에서 갈라진 아홉 갈래의 지류로 밀공을 구분하고 있으니, 즉 구구팔십일(九九八十一), 팔십일종(八十一種)의 서로 다른 유가밀공이 존재하고 있는 셈이었다.

"내가 익힌 밀공은 그 팔십일종 중에서도 가장 기이하고 희귀하며 특이한 무공 중 하나야. 아무리 세상이 넓고 사람이 많다 한들 이 밀공을 제대로 익힌 자는 열 명도 채 되지 않을걸?"

만해거사가 그렇게 자랑스레 자신이 익힌 유가밀공에 대해서 설명하던 참이었다.

"쉿."

갑자기 유 노대가 목소리를 낮추며 주의를 환기하였다. 만해거사는 영문을 몰라 눈을 동그랗게 떴지만 이내 고개를 끄덕이며 소곤거렸다.

"소리가 들리는군."

유 노대도 고개를 끄덕이며 말을 받았다.

"누군가 떼를 지어 싸우는 모양이군. 병장기 부딪치는 소리들이 들리는 걸 보니."

설벽린은 깜짝 놀라 귀를 기울였다.

하지만 들리는 건 그저 이 짙은 안개 사이로 휘몰아치는 세찬 바람 소리뿐이었다.

"서북쪽으로 사오 리(里) 정도?"

"흠, 그 정도인 것 같군. 정확한 수는 모르겠지만 최소한 수십 명 이상이 싸우는 것 같아."

설벽린은 눈을 휘둥그레 뜬 채 두 노인의 대화를 듣다가 문득 생각나는 바가 있어서 다급하게 입을 열었다.

"설마 철목가와 우리 형제들이 싸우는 건 아니겠죠?"

유 노대가 살짝 인상을 찌푸렸다.

"화평장을 두고 왜 이런 험지(險地)에서 싸우겠나?"

설벽린은 주위를 둘러보았다.

사실 만인평은 험지라고까지 할 정도는 아닌 평범한 황무지였다. 하지만 이렇게 혼돈(混沌)의 미무(迷霧)로 온 천지가 새하얗게 뒤덮여 있는 지금의 만인평은 확실히 둘도 없는 험지라 할 수 있었다.

"그럼 누가 싸우는 걸까요?"

"그야 나도 모르지."

설벽린의 질문에 유 노대가 거개를 저었다. 만해거사가 씨익 웃으며 참견했다.

"누가 싸우는지 알려면 직접 가서 봐야겠지."

설벽린은 잠시 생각하다가 고개를 저었다.

"아니, 그렇게까지 궁금하지는 않아요."

"내가 궁금하거든."

만해거사가 어깨를 으쓱거리더니 곧바로 경공술을 펼치려 하자, 설벽린이 다급하게 그의 팔을 붙잡으며 말렸다.

"어딜 가시려고요! 그럴 때가 아니라니까요."

"괜찮아. 가서 어떤 자들이 이 안개 속에서 싸우는지 잠깐 볼 테니까."

만해거사는 웃으며 설벽린의 팔을 잡아당기더니 그대로 번쩍 안아 올렸다.

설벽린이 깜짝 놀라 발버둥을 쳤지만 이미 늦었다. 만해거사는 그를 안아 든 채 곧바로 지면을 박차고 몸을 날린 것이다.

이내 두 사람의 신형이 안개 속으로 사라졌다.

"하여튼 제멋대로 해야만 직성이 풀리는 늙은이라니까."

유 노대가 혀를 끌끌 차더니 만해거사의 뒤를 쫓아 신형을 날렸다.

"아니, 진짜 이럴 때가 아니라니까요!"

설벽린은 만해거사에게 안긴 채 소리쳤다. 세찬 바람이 휘몰아쳤다. 안개가 산산이 부서지며 열렸다가 닫히기를 반복하고 있었다.

"괜찮아. 괜찮아."

만해거사는 섬전처럼 빠르게 허공을 날며 설벽린을 다독거렸다.

"어차피 성도부로 가는 길목에서 그리 멀리 벗어나지 않으니까. 어쨌든 네가 두려워하는 그 녀석이 성도부에 당도하기 전에 끝날 게야."

만해거사가 그렇게까지 말하자 설벽린은 살짝 목소리를 낮췄다.

"누가 두려워한다고 그래요?"

"허어, 세상에서 가장 무섭고 두렵고 강한 꼬마라고 하지 않았더냐?"

"그, 그렇게까지는 말하지 않았거든요."

설벽린은 정색하며 말했다.

"물론 그 녀석이 무섭고 두렵고 강한 건 사실이지만, 그렇다고 해서 세상에서 가장 무섭고 두렵고 강한 녀석은 아니라고 생각해요."

정면을 쏘아보며 경공술을 펼치던 만해거사가 문득 구미가 당긴다는 듯 품 안의 설벽린을 돌아보며 물었다.

"그럼 세상에서 가장 무섭고 두렵고 강한 자가 누구라고 생각하는데?"

설벽린은 말꼬리를 흐렸다.

"그건……."

3. 나다

-나다.

화군악은 켜켜이 쌓인 운무 사이로 은밀하게 이동하면서 조금 전 담우천이 담담하게 말했던 것을 떠올렸다.

　당시 화군악은 철목가의 단주들과 무적가의 태상장로 중 누가 제일 강하냐고 물었고, 담우천은 조금도 망설이지 않고 그렇게 대답했다.

　'나다.'

　단 한 마디였지만 그 말이 주는 위압감은 무겁다 못해 두렵기까지 했다.

　또한 아무런 감정이 실리지 않았다고 느껴질 만큼 담담하고 차분하며 낮은 목소리였기에 그 자신감과 진실함이 고스란히 전달되었다.

　'도대체 얼마나 강하면 그렇게 말할 수 있을까? 또 자신에게 얼마나 자신이 넘쳐야 그리 당당하게 이야기할 수 있을까?'

　화군악은 앞서 이동하고 있는 담우천의 뒷모습을 쳐다보면서 생각에 잠겼다.

　'만약 담 형님을 상대로 싸운다면 과연 이길 수 있을까?'

　그 우매한 질문에 대한 대답은 금세 나왔다.

　아니, 이길 수 없었다.

　화군악은 피식 웃었다.

　'지금이라면 상대가 되지 않을 거야. 승리는커녕 백 초

도 버티지 못하겠지.'

그렇게 생각하던 화군악의 눈빛이 미묘하게 변했다.

'하지만 지금은 아니라는 거지, 영원히 아니라는 건 또 아니니까.'

이제 갓 터득한 태극혜검을 완성한다면 이야기는 달라질 것이다.

태극혜검은 수백 년 역사를 자랑하는 무당파의 정수를 담은 검법이며, 또 지난 몇 백 년 동안 익힌 자가 나오지 않은 절전(絶傳)의 무예이기도 했다.

화군악은 수년 전 무당파에 들렀다가 우연한 기회에 기이한 인연으로 터득하게 된 후 끊임없이 태극혜검을 수련하고 익히려 했다.

하지만 태극혜검은 일반 검법과 달라서 반복적인 수련을 통해 완성시키는 검법이 아니었다.

태극혜검은 깨달음의 검법이었다. 오랜 시간 도를 닦는 참선을 통해 각성(覺醒)하는 검법이었다.

화군악은 그저 찰나의 인연을 통해서 겨우 손에 쥔 상태에 불과했다. 그것도 자칫 한눈을 팔거나 엉뚱한 생각을 하면 그대로 놓쳐 버릴 정도로 아슬아슬하게 쥐고 있는 끝자락이었다.

지난 몇 년간 화군악은 그 실마리의 끈을 조금씩 잡아당기면서 점점 더 태극혜검의 정수로 다가갔다.

물론 쉬운 일은 아니었다. 심벽(心壁)은 노력과 훈련과 수련을 통해 깨고 넘을 수 있는 경지가 아니었으니까.

그저 언제 찾아올지 모를 찰나의 순간을 기다리면서, 뒤로 물러나거나 도망치거나 외면하지 않도록 계속해서 자신의 심와(心窩)를 들여다볼 뿐이었다.

장예추의 상황은 화군악과 조금은 달랐다.

우연하게도 장예추는 태극혜검과 더불어 무림 최고의 검법이라 알려진 제왕검해(帝王劍解)를 익힐 수 있었다.

제왕검해 또한 태극혜검과 마찬가지로 심벽 저편에 존재하는 검법이었지만, 반면 태극혜검과는 달리 끈질긴 노력과 불굴의 수련, 각고의 훈련을 통해서 절정에 이를 수 있는 검법이기도 했다.

'예추도 제법 강해졌겠지?'

화군악은 힐끗 장예추를 돌아보며 생각했다.

'저 녀석처럼 노력하는 사람은 본 적이 없으니까.'

어쩌면 지금 이 시점에서만 본다면 화군악은 자신보다 장예추가 더 강해져 있을 거라는 생각이 들었다.

하지만 화군악에게 분하거나 억울하다는 감정은 전혀 없었다.

그건 화군악의 재능이 부족하거나 덜 노력해서 생기는 간격이 아니었으니까. 그저 서로 익힌 무공의 차이로 인해 벌어진 간격에 불과하니까. 서로 자신들의 정점에 올랐을 때는 결코 장예추에게 뒤질 자신이 없으니까.

'그렇게 정점에 올랐을 때, 그때라면 담 형님을 이길 수 있을까?'

화군악이 그렇게 속으로 중얼거리는 순간이었다.

앞서 달려가던 담우천과 루호가 거짓말처럼 우뚝 멈춰 서며 자세를 낮췄다.

취표와 장예추도 그들을 따라 그 자리에 멈춰 섰다. 상념에 빠져 있던 화군악은 한 걸음 늦게 반응했고, 하마터면 담우천의 등에 얼굴을 박을 뻔했다.

'어이쿠!'

아슬아슬하게 멈춰선 화군악은 담우천의 어깨 너머로 정면을 주시했다. 여전히 새하얀 안개가 주위를 가득 메우고 있는 가운데, 수십여 명의 인기척이 약 이삼십 장 거리를 두고 느껴졌다.

―조심합시다.

루호의 전음(傳音)이 들려왔다.

화군악은 루호의 등을 바라보았다. 루호는 오직 정면을 주시한 채 살금살금 움직였다. 마치 눈앞에 둔 먹이를 노리고 움직이는 호랑이처럼 루호는 소리 없이, 기척 없이 발걸음을 옮겼다.

사람들은 루호를 따라 조심스레 오른쪽으로 움직였다.

그렇게 호랑이처럼 혹은 고양이처럼 기척을 숨기고 사오

장 가량 다가가자, 새하얀 안개 저편으로 거무튀튀한 그림자가 보였다. 무적가 무사들이 설치해 둔 임시 막사였다.

사람들은 임시 막사 뒤에 몸을 숨긴 채 살짝 고개를 내밀었다. 안개 저편, 그리 멀리 떨어지지 않은 곳에서 묵직한 목소리가 들려왔다.

"유령교가 본가를 도와 철목가의 무사들을 몰살시켰다는 게 말이 된다고 생각하나? 아니, 반대로 말하지. 본가가 유령교의 도움을 받아 가면서까지 철목가 무사들을 몰살시킬 이유가 있다고 생각하나?"

제갈천상의 목소리였다.

9장.
신묘지계(神妙之計)

한 번의 기책(奇策)이 성공했다고 해서 신묘(神妙) 운운하는 건 말도 안 되지.
신묘라는 건 두 개 이상의 기책이 연달아 펼쳐지면서
적을 완벽하게 혼돈과 혼란에 빠뜨려야만
비로소 완성된다고 할 수 있거든.

1. 견원지간(犬猿之間)

화군악은 임시 막사 뒤에 숨어서 살짝 고개를 내밀었다.

그의 시선이 닿는 곳, 그곳에 백여 개의 거무튀튀한 인영들이 서로 대치하듯 좌우로 나뉘어 서 있었다.

임시 막사 주변으로 여러 개의 화롯불이 활활 타오르고 있었지만, 한 치 앞도 보이지 않을 정도로 짙게 깔린 안개 저편으로 화롯불은 그저 뿌옇게 보일 따름이었다.

그래서였을까. 아니면 막사 주변으로 집결한 모든 사람의 이목이 한 곳에 집중되어 있기 때문이었을까.

그 많은 이들 중에서 은밀하게 접근한 화군악과 루호

등의 기척을 알아차린 이는 단 한 명도 없었다.

백여 개의 검은 그림자들은 여전히 병장기를 꼬나든 채 서로를 노려보고 있었다. 그들이 뿜어 대는 맹렬한 살기가 안개를 뚫고 화군악이 숨어 있는 임시 막사까지 흘러들었다.

화군악은 저 수많은 그림자 중에서 지금 목소리를 낸 자가 누구인지 확실하게 알 것 같았다.

'늙수그레한 목소리지만 함부로 범접할 수 없는 위엄이 실려 있다. 아무래도 무적가의 제갈천상이라는 늙은이가 분명하겠지.'

화군악은 우측에 집결해 있는 그림자 중 선두에 나와 있는 인물을 유심히 지켜보았다. 제갈천상으로 짐작되는 그 검은 형체는 계속해서 맞은편 이들을 향해 꾸짖듯 말하고 있었다.

"본가는 철목가와 달라서, 싸울 때 다른 누구의 원조나 도움을 받지 않네. 만약 본가의 아이들과 철목가의 광철단이 양패구상을 했다면 그건 본가 아이들의 실력 때문이지, 누구의 도움을 받아서 그리된 게 아니라는 말일세. 아니면 광철단의 실력이 생각보다 형편없었거나."

"말이 지나치시오!"

맞은편의 검은 형체가 크게 소리쳤다.

임시 막사 뒤편에 숨어서 그 광경을 지켜보고 있던 루

호가 중얼거리듯 말했다.

"비룡맹군의 목소리로군."

루호의 추측은 정확했다. 지금 제갈천상과 말다툼을 하고 있는 맞은편 검은 형체는 다름 아닌 비룡맹군이었다.

그는 제갈천상의 이야기에서 꼬투리라도 잡은 듯 더욱 크고 거세게 항변했다.

"본가가 누구의 원조나 도움을 받아서 싸운다는 말씀, 당장 취소하시오!"

제갈천상은 여유가 넘쳤다. 그는 팔짱을 끼며 느물거리듯 대꾸했다.

"응? 노부가 틀린 말을 한 건 아닌 것 같은데? 정사대전 당시 철목가가 금해가의 도움을 받아 겨우 목숨을 부지했다는 건 누구나 다 아는 일 아닌가?"

"흥! 억지가 심하시구려!"

비룡맹군이 다시 소리칠 때였다.

우르르르!

그의 뒤쪽에서 요란한 기척이 들려왔다. 비룡맹군과 무적검군의 뒤를 따라온 삼백여 수하들이 이제야 당도한 것이다.

'됐다.'

비룡맹군은 속으로 안도의 한숨을 내쉬었다. 무적가 놈들이 얼마나 집결해 있는지는 모르겠지만, 이 삼백의 수하들이 있는 한 결코 질 리가 없었다.

'급하게 원군을 이끌고 왔을 것이니, 아무리 많아도 일
이백 정도에 불과할 게다. 거기에다가 유령교에 의해 패
퇴한 무리들까지 합쳐 봤자 삼백도 채 되지 않을 터. 수
가 비슷하다면 우리가 반드시 이긴다.'

수하들의 도착으로 뒤가 든든해지자 비룡맹군은 배짱
이 생기고 자신감이 넘쳐흘렀다. 그 배짱과 자신감은 곧
바로 그의 자세와 표정에도 드러났다. 그리고 제갈천상
을 향해 당당하게 말하는 말투에도 흘러나왔다.

"본가가 선대(先代)부터 금해가와 친분을 나눴던 건 사
실이오. 또한 정사대전 당시 금해가의 후원을 받은 것 역
시 사실이오. 하지만 그것이 무적가의 질책을 받을 정도
의 일은 결코 아니오. 외려 무적가 측에서 본가와 금해가
의 친분을 질시하고 질투하는 게 더 꼴불견이라는 걸 명
심하시오!"

"허어."

제갈천상은 어처구니가 없다는 표정을 짓더니 이내 피
식 웃으며 말했다.

"목소리에 힘이 실린 걸 보니 수하들이 당도한 모양이
로군그래. 어디 보자…… 이백은 넘을 것 같고, 삼백 명
정도 되려나? 겨우 그 정도 인원을 가지고 배에 힘을 준
다?"

비룡맹군은 저도 모르게 움찔거렸다.

'이 짧은 순간에 우리 수하들의 수를 그토록 정확하게 파악한 건가?'

"뭐 그건 그렇다 치고……."

제갈천상은 입가에 미묘한 미소를 띤 채 계속해서 말을 이어 나갔다.

"본가가 철목가와 금해가의 우정 때문에 질투나 질시를 한다고 생각하나? 아니지. 그대들에게 배신을 당했기 때문에 이를 가는 것뿐이라네. 오대가문의 화합과 태극천맹의 안정, 더 나아가서 무림 전체의 평화를 위해서 참고 있을 뿐인 게지. 그런 대의(大義)를 생각하지 않았다면 벌써 사생결단을 내도 몇 번이나 냈을 것이야."

제갈천상의 냉엄한 목소리가 쏟아졌지만 비룡맹군은 전혀 물러서지 않았다. 그 역시 웅혼한 목소리로, 인근 백여 장 안에 있는 이들은 모두 들을 수 있을 정도의 성량으로 제갈천상의 말을 반박했다.

"우리에게 당한 배신이라는 게 겨우 성화곡(星火谷) 전투를 의미하는 것이오?"

"겨우 성화곡 전투?"

"그렇소. 물론 우리가 고립무원(孤立無援)의 처지가 되어 무적가 측에 도움을 요청한 건 사실이오. 하지만 우리는 우리의 힘으로 그 성화곡을 빠져나올 수 있었고, 분명 그 후에 귀하들에게 도움이 필요치 않다고 연락을 취했소. 그러니 정작 우리가 배신한 게 아니라, 그 연락을 받고서도 스스로 성화곡으로 뛰어든 귀하들의 잘못이 아니오?"

그의 목소리는 뿌연 안개의 장막을 뚫고 우렁우렁 사방으로 울려 퍼졌다. 근처의 무사들은 물론, 사뭇 거리가 떨어져 있는 곳에서 진을 치고 있는 무적가 무사들 모두 비룡맹군의 말에 귀를 기울였다.

"허어."

제갈천상은 탄식하며 말했다.

"스스로 그 사면초가(四面楚歌)의 위기에서 벗어났다? 금해가의 도움은 어디로 간 게지? 그리고 우리에게 연락을 취했다고 했나? 그 연락이라는 게 우리가 바로 성화곡에 당도할 때까지, 그리고 결국 철목가 대신 우리가 사마외도들의 함정에 빠져들게 될 때까지 오지 않았다는 건 어떻게 설명한 겐가?"

"아니오! 우리는 분명 보냈소! 그 급보(急報)를 제대로 받지 못한 건 귀하들의 책임이오!"

"그런 허무맹랑한 소리는 집어치우게. 지난 수십 년 동안 잘못했다는 사과 대신 들어와서 이미 귀에 못이 박힌 이야기이니까."

제갈천상은 손사래를 치며 서늘한 눈빛으로 비룡맹군을 바라보았다. 오뉴월 서리처럼 매섭고 한 맺힌 시선이었다.

"당시 그대들을 구하기 위해 수백 리 험한 길을 마다하지 않고 달려간 이들이 오백이나 되었네. 그대들을 돕기 위해 몇 날 며칠을 잠 한숨 제대로 자지 못한 채 전력을 다해 달려갔었지."

제갈천상의 목소리는 처연하다 못해 모골이 송연할 정도로 음산했다.

"하지만 성화곡에서 우리를 기다리고 있던 건 텅 빈 골짜기와 동서남북 사방을 에워싼 사마외도의 무리들뿐이었지. 그 어디에고 구원을 요청한 철목가 사람들은 없었네."

그는 하늘을 우러렀다.

까마득하게 잊고 싶었던 옛 기억이 철철 넘쳐흐르는 모양이었다. 그곳에서 살아남은 몇 되지 않은 인물 중의 하나가 바로 그였다.

그는 가볍게 한숨을 내쉬고는 다시 고개를 돌려 비룡맹군을 바라보며 말을 이어 나갔다.

"처음에는 철목가가 몰살이라도 당했나 했지. 그대들을 위해 비분강개했고, 그대들의 복수를 위해 적들과 동귀어진하려 했으니까. 그러나…… 어디에고 그대들의 시신은 보이지 않았네. 단 한 구의 시신조차 찾을 수가 없었네. 그 끝없는 회랑(回廊)처럼 길고 긴 성화곡 어디에고 말일세."

비룡맹군은 묵묵히 제갈천상의 이야기를 들었다.

지금은 받아칠 때가 아니었다. 그의 이야기가 정점에 달했을 때, 그때 제대로 반박해야 했다.

"그래서 깨달았지. 철목가가 우리를 죽이려 든 게로구나. 다섯 가문 중에서 가장 강하고 위대한 본가를 없애려 하는구나, 하고 말이지."

제갈천상을 비룡맹군을 똑바로 노려보며 말했다.

"하지만 우리는 게서 무너지지 않았네. 비록 본가의 최정예 오백이 달려가서 겨우 스무 명 남짓 살아 돌아왔지만, 그래도 수천의 적을 궤멸시켰으니까."

일순 엄청난 함성이 봇물처럼 터져 나왔다.

"와아!"

"무적가 만세!"

"철목가는 죽어라!"

"무적가! 무적가!"

만인평 전체가 들썩거릴 정도로 요란한 함성이 들불처럼, 혹은 거센 물결처럼 사위를 휩쓸었다. 비록 한순간이기는 했지만 만인평을 뒤덮고 있던 안개마저 옅어질 정도로 무적가 무사들이 내지르는 함성과 고함은 천지를 진동시켰다.

그 쉴 새 없이 몰아치는 거대한 함성의 파도에 비룡맹

군은 저도 모르게 '헉!' 하고 숨을 삼켜야만 했다.

지금 들려오는 소리는 결코 일이 백 명, 아니 사오 백 명의 함성이 아니었다. 최소한 천 명은 족히 넘어서 어쩌면 이천에 달하는 대군(大軍)이 일제히 내질러야만 비로소 가능한 규모의 함성이었던 것이다.

'이런······.'

비룡맹군의 얼굴이 딱딱하게 굳어졌다.

'무적가 본산 전체가 이동한 것인가?'

내심 중얼거리는 그의 가슴이 천근만근 무거워지고 있었다.

한편 임시 막사 뒤에 숨어서 그 광경을 지켜보던 화군악은 저도 모르게 고개를 끄덕이고 있었다.

'흠. 철목가와 무적가가 견원지간(犬猿之間)이 된 게 바로 그런 이유 때문이었구나.'

내심 중얼거리던 화군악은 문득 고개를 갸웃거렸다.

'하지만 이상한걸? 아무리 철목가가 무적가를 견제하고 싶어서 그런 일을 저질렀다고는 하지만, 그래도 때가 때란 말이지. 한참 정사대전이 절정에 달하던 시기에 무적가가 궤멸당한다면 어쩌면 그대로 상황이 종료될 수도 있는데 말이야.'

화군악의 의심은 당연했다.

당시 상황을 보자면 사마외도 쪽이 상당히 유리하게 흘

러가던 형국이었고, 정파 측 입장에서 보자면 기묘한 계책이 없는 한 그 불리한 형세를 뒤집을 만한 힘이 없었으니까.

그런 상황에서 무적가를 견제하기 위해 철목가가 배신을 한다는 건 쉽게 이해가 되지 않았다.

하지만 제갈천상의 말은 거짓이 아니었다.

이십 년 가까이 이어진 정사대전. 그동안 수많은 전투가 있었고 수만 수십만 무림인들이 죽고 죽었지만, 성화곡 전투는 그 기나긴 정사대전을 통틀어 다섯 손가락 안에 드는 혈전이자 당시 상황을 극적으로 역전시킨 전투였다.

오백 대 삼천의 전투에서 삼천의 사마외도 무림인들이 궤멸당한 극적인 전투. 그로 인해 당시 열세에 처해 있던 정파 무사들의 기세는 하늘을 찔렀고, 결국 전체적인 형국이 뒤바뀌는 발판이 되었다.

반면 무적가 측에서 보자면 가문 전체가 휘청일 정도로 막대한 타격을 입은 것도 사실이었다.

당시 성화곡 전투에 투입된 오백의 무인들은 무적가 최고의 고수들이었고, 제갈천상은 물론 심지어 가주 제갈보국까지 그곳에 있었다.

제갈보국이 돌이킬 수 없는 내상을 입은 게 바로 그때였고 수많은 호법과 장로, 가신들을 잃은 것도 그때의 일이었으며, 제갈천상이 강호에 환멸을 느끼고 은거를 결심한 것도 그 사건 때문이었다.

2. 안개 속 전투

"할 말이 다 끝나셨나 보오. 그럼 내가 이야기하리다."
비룡맹군은 침착하게 입을 열었다. 동시에 사방에서 온갖 고함과 욕설이 터졌다.
"변명은 집어치워라!"
"개만도 못한 놈들! 어디서 입을 함부로 나불거리느냐!"
"사과하라! 사과하라!"
주변에 집결해 있던 수많은 무적가 무사들이 잔뜩 흥분하여 고래고래 소리를 질렀다. 그들이 내뿜는 살기가 먹이를 본 들짐승들처럼 사방에서 마구 날뛰었다.
하지만 비룡맹군은 침착한 모습으로 말을 이어 나갔다.
"뒤늦게 성화곡의 함정을 알아차린 우리는 무적가와 금해가에게 동시에 도움을 요청했소. 마침 금해가가 보다 가까운 곳에 있었고, 그래서 무적가보다 이틀 정도 빠르게 달려올 수 있었소."
그가 말을 하는 동안 천지를 들썩거리게 만들던 고함과

욕설이 하나둘씩 자취를 감추더니, 어느새 사위는 숨소리 하나 들리지 않을 정도로 조용해졌다. 모든 이들이 귀를 기울여 비룡맹군의 이야기에 집중하고 있었다.

비룡맹군은 나직하지만, 만인평에 있는 사람들이 모두 다 들을 수 있도록 내공이 실린 목소리로 말을 이어 나갔다.

"그들 덕분에 별 피해 없이 성화곡을 빠져나올 수 있었고, 그곳을 빠져나오자마자 우리는 곧장 귀하들에게 급보를 보냈소. 험지를 벗어났으니 안심하고 회군하시라는 전갈을 말이오. 혹시나 중간에 무슨 일이 생길지도 모른다는 걱정에 무려 다섯 명의 수하들을 시켜 각각 따로 전달케 했소."

거기까지 말한 비룡맹군은 잠시 숨을 돌린 다음 다시 입을 열었다.

"한두 개, 아니 세 개 정도는 확실히 이해할 수 있소. 무적가로 향하는 도중 적에게 들키거나 혹은 쫓겨서 제때 전달되지 못할 수도 있다고 생각하오. 안 그래도 전갈을 하러 갔던 세 명의 수하들이 결국 끝까지 돌아오지 못했으니까."

비룡맹군은 똑바로 제갈천상을 쏘아보며 말했다.

"하지만 다섯 개의 전갈이 모두 실패한다는 건 말이 되지 않는 일이오. 본가에서 가장 발이 빠르고 몸이 날래며 경공술이 뛰어난 자들 다섯이오. 그들 다섯 전부가 실패할 리는 없소. 무엇보다!"

비룡맹군은 게서 말을 끊고 한숨을 돌렸다.

"꿀꺽."

누군가 침을 삼키는 소리가 희미하게 들려왔다. 모든 이들의 귀가 비룡맹군의 이어지는 말에 집중되었다.

비룡맹군이 천천히 입을 열었다.

"무엇보다 돌아온 두 명의 수하가 확실하게 보고했소. 무적가 측에 전갈을 보내고 왔다고 말이오."

제갈천상은 눈을 가늘게 뜨며 물었다.

"그들이 누구에게 전갈을 전했다고 하던가?"

"당연히 가주가 아니겠소?"

"가주에게 전했다고 확실하게 말하던가? 그대가 그 말을 확실하게 들었는가?"

거듭되는 제갈천상의 물음에 비룡맹군은 살짝 당황한 표정을 지으며 말했다.

"아니, 그건…… 당시 내가 그곳에 있지 않아서……. 하지만……."

"나는 그곳에 있었네."

제갈천상이 잘라 말했다.

"확실히 나는 그때 그 자리에 가주와 함께 있었네. 하지만 나는 성화곡에 당도할 때까지 철목가의 그 누구에게도 전갈을 받지 못했네."

"전갈은 전해졌소! 전갈을 전한 수하들은 결코 거짓말을 할 자들이 아니오!"

"그럼 그 두 수하는 지금 어디 있는가?"

"이후의 전투에서 목숨을 잃었소."

"허어, 거참. 아주 편리한 대답이로군."

그렇게 탄식한 제갈천상은 어처구니가 없다는 듯이 껄 껄 웃었다. 그의 허탈한 웃음소리가 뿌연 안개 장막을 뚫고 만인평 사방으로 흩날렸다.

"본가 가주의 말씀이셨소!"

비룡맹군이 소리쳤다.

"가주께서 확실히 그리 말씀하셨소! 본가의 명예와 자긍심과 이름을 걸고 그리 확인하셨소!"

"그래. 정극신은 그리 주장했지."

"무엄하다!"

여태 가만히 서 있던 무적검군이 날카롭게 외쳤다. 일순 한 가닥 무형(無形)의 살기가 제갈천상의 목을 향해 검기(劍氣)처럼 뻗어 나갔다.

제갈천상은 가볍게 손을 내저었다. 순간 그의 목을 꿰뚫을 듯 쏘아지던 살기가 온데간데없이 사라졌다.

제갈천상은 힐끗 무적검군을 바라보고는 계속해서 말을 이어 나갔다.

"정극신은 늘 그리 주장했지. 성화곡 전투 이후 살아남은 우리가 항의했을 때도, 정사대전이 끝난 자리에서도 자신은 잘못한 게 없다면서 사과 한 번 하지 않았지. 오히려 성화곡 전투로 무적가의 명성이 천하를 뒤덮었으니 전화위복(轉禍爲福)이 된 게 아니냐고 말하면서. 그렇게 정극신은 늘 오만했지."

"닥쳐라! 어디 감히 본가의 가주 이름을 함부로 입에 올리느냐!"

이번에는 비룡맹군이 소리쳤다. 제갈천상은 거침없이 말을 이어 나갔다.

"오만한 자. 자신의 머리 위에 누군가 우뚝 서는 걸 보느니 차라리 그를 배신하고 등에 칼침을 놓는 쪽을 택하는 자. 그게 그대들의 가주, 정극신이다."

"그 입 함부로 놀리지 마라!"

비룡맹군이 고함을 내지르며 장풍을 쏘려 했다.

하지만 무적검군이 더 빨랐다.

"노옴!"

한 가닥 고함과 더불어 그의 신형이 지면을 차고 앞으로 쏘아졌다. 순식간에 거리를 좁힌 무적검군의 검이 빛보다 빠르게 제갈천상의 심장을 꿰뚫었다.

미리 알고 있어도 막기는커녕 제대로 반응조차 할 수 없을 정도의 쾌속한 신법과 쾌검의 조화!

하지만 이미 제갈천상은 그 자리에 없었다. 순간적으로 이동한 것처럼 어느새 우측으로 세 걸음 벗어난 제갈천상은 그대로 손을 들어 무적검군의 허리를 강타했다. 맹렬한 강기가 그의 손에서 뿜어졌다.

무적검군은 피하는 대신 곧바로 검의 방향을 선회하여 제갈천상의 목을 그어 갔다.

일순 제갈천상의 눈썹이 꿈틀거렸다. 이대로라면 무적검군의 옆구리를 박살 낼 수는 있지만, 반대로 자신의 목을 내어 줄 수밖에 없었다.

"허어."

제갈천상은 가볍게 탄식하며 다시 보법을 밟았다.

순간, 그의 신형이 신기루처럼 그 자리에서 사라지더니 다시 왼쪽으로 다섯 걸음 떨어진 곳에 거짓말처럼 나타났다. 그야말로 동에서 번쩍, 서에서 번쩍 하는 보법이었다.

제갈천상은 우아한 모습으로 검을 거둬들이는 무적검군을 지켜보며 내심 중얼거렸다.

'살을 내주고 뼈를 취한다라……'

이른바 괄육취골(刮肉取骨)의 수법.

말은 쉽지만 실행하기는 생각보다 훨씬 어렵고 담대함이 필요한 수법이었다. 살을 내주다가 자칫 목숨까지 잃을 수 있으며, 무엇보다 먼저 손해를 보고 들어간다는 것 자체가 크게 불리한 수법이기도 했다.

살을 내주는 한이 있더라도 반드시 상대의 뼈를 취할 수 있다는, 자신의 실력에 확고한 신념과 담대함이 없는 한 결코 실행할 수 없는 수법이 바로 괄육취골이었다.

'역시…….'

무적검군인 게다. 그 정도의 신념과 자신과 담대함을 가지고 있는 게 당연한 게다.

제갈천상이 그렇게 생각할 때, 어느새 막사 일대는 무적가와 철목가 무사들로 인해 치열한 전투가 벌어지고 있었다.

무적검군이 제갈천상을 향해 덤벼드는 순간, 양측 무사들은 누가 먼저라고 할 것 없이 상대를 향해 칼을 휘두르고 검을 찔러 갔다.

챙챙챙!

병장기 부딪치는 소리와 함께 고함과 욕설, 비명과 신음이 원단의 폭죽처럼 쉬지 않고 터져 나왔다.

가뜩이나 양쪽 무사들의 살기가 등등한 가운데 벌어진 전투였다. 거기에다가 눈앞이 보이지 않을 정도로 짙은 안개는 피아(彼我)를 구별하기 어렵게 만들었고, 그런 까닭에 적으로 오인하여 찌르거나 혹은 동료라고 안심하다가 찔리기도 했다.

사람들의 눈이 충혈되고 핏발이 곤두섰다. 그들은 마구잡이로 악을 쓰며 무기를 휘둘렀다. 그들이 칼을 휘두르고 검을 찌르고 장풍을 휘둘렀다. 안개가 연기처럼 사방으로 흩어졌다가 다시 모이기를 반복했다.

시간이 지나면서 어느 정도 안개 속의 전투에 적응된 양쪽 무사들은 그 찰나의 순간에 집중하여 적을 찾아내고 확인한 후 공격하거나 혹은 방어했다.

그렇게 안개 속 전투에 적응이 되자, 의외로 죽거나 부상을 당하는 자의 수가 현저하게 줄어들었다.

한편 전투가 길어지면서 외곽에 진을 치고 있던 무적가 측 무사들이 합류하기 시작했다. 시간이 갈수록 점점 더 늘어난 무적가 무사들은 거대한 포위망을 형성하며 철목가 무사들을 에워쌌다.

"젠장!"

비룡맹군은 크게 소리치며 쌍장을 휘둘렀다. 그를 향해 덮쳐들던 세 명의 무적가 무사들이 황급히 몸을 피하려했다. 하지만 비룡맹군의 두 손은 정확하게 그들의 가슴과 어깻죽지를 갈겼다.

"으윽!"

"컥!"

세 명의 무사들은 피를 토하며 나가떨어졌다.

"흥!"

비룡맹군은 코웃음을 치며 전진하려 했다. 하지만 또다른 무적가 무사들이 그의 앞을 가로막았다.

'이런…… 진짜로 무적가 본산 자체를 옮겨 왔나 보구나!'

비룡맹군은 좌우를 둘러보며 형세를 살펴보다가 낯을 찌푸리며 혀를 찼다. 그의 주변이 어느새 무적가 무사들로 가득 찬 것이다.

'일이 천 명은 족히 넘겠어. 상황이 좋지 않아.'

비룡맹군은 속으로 한숨을 내쉬었다.

'삼백 명 대 이천 명이라…….'

틀렸다.

이건 아니다 싶었다. 아무리 자신들의 수하가 강하고 용맹하다 한들, 수천의 무적가 무사들 앞에서는 중과부적(衆寡不敵)에 불과했다.

'이 상황을 타개할 방법은?'

비룡맹군은 내심 머리를 굴렸다.

문득 그의 앞을 가로막은 무적가 무사들 너머로, 제갈천상과 정면으로 부딪쳐서 싸우고 있는 무적검군이 보였다.

무적검군은 전력을 다해 검을 휘두르고 있었고, 제갈천상 또한 전력을 기울여 그와 맞서 싸웠다.

'역시 전대(前代)의 기인이라니까.'

비룡맹군은 저도 모르게 그렇게 중얼거렸다.

검 앞에서 적을 찾을 수가 없다던 무적검군이지만, 어느새 수십 합을 겨뤘음에도 불구하고 제갈천상의 머리카락 한 올조차 어찌해 보지 못하는 중이었다.

'하지만…….'

제갈천상 또한 무적검군을 쉽게 제압하고 승리를 거두지 못하는 상황이었다.

겉으로 보기에는 제갈천상이 유유자적한 모습으로 무적검군의 검을 피하고 막는 것 같았지만, 저 무심한 얼굴 사이로 언뜻언뜻 드러나는 초조한 표정과 다급한 눈빛까지 감출 수는 없었다.

3. 환영신구(幻影神球)!

'고약하군.'

제갈천상은 눈살을 찌푸리며 우측으로 보법을 밟았다.

무적검군의 검이 아슬아슬하게 스쳐 지나가나 싶더니 이내 방향을 선회하면서 제갈천상의 복부를 겨냥하고 휘어져 들어왔다.

이번에도 제갈천상은 재차 보법을 밟아 무적검군의 검을 피하는 동시, 손을 들어 화염구를 생성하려 했다.

그러나 무적검군의 검이 더 빨랐다. 제갈천상의 현묘한 보법으로 목표물을 잃자마자 그의 검은 다시 방향을 바꿔 목표물을 재설정하고 날아들었다.

마치 검에 눈이라도 달린 듯, 아니 검 자체에 자유 의지라도 있는 듯 무적검군은 살아 있는 생명처럼 꿈틀거리며 자유자재로 움직이며 쉬지 않고 제갈천상의 급소를 파고들었다.

　제갈천상은 어쩔 수 없다는 듯이 손을 거둬들이면서 보법을 밟아 그 공격을 피했다.

　내심 한숨이 절로 흘러나왔다.

　'정말 고약하다니까.'

　무적검군의 검은 더없이 쾌속했다. 그리고 일반적으로 속도가 빠를수록 제대로 된 힘이 실리지 않는 법이거늘, 무적검군의 검은 한없이 무거웠다. 쾌검(快劍)의 속도와 중검(重劍)의 무게를 지닌 검.

　어디 그뿐인가.

　무적검군의 검은 능수버들처럼 부드러운 한편, 채찍처럼 제멋대로 휘거나 뻗어 나갔으며, 마치 교활한 뱀처럼 방향을 바꾸고 선회하면서 공격을 이어 나갔다.

　지금껏 단 한 차례의 패배도 없었다는 게 충분히 이해되는 검이었고 검법이었다.

　하지만 그렇다고 해서 무적검군의 검을 제대로 피하거나 막지 못할 제갈천상이 아니었다. 제갈천상의 노련한 경험과 노회한 경륜이 담긴 보법에는 무적검군의 검이 제대로 쫓아오지 못하고 있었다.

'고약하다니까.'

제갈천상은 다시 보법을 역으로 밟아 가며 무적검군의 검을 피했다.

그리고는 재차 손을 뻗어 역공을 가하려 했지만, 어느새 무적검군의 검이 다시 그의 옆구리를 파고들었다. 결국 제갈천상은 보법을 밟으며 손을 거둬들일 수밖에 없었다.

그랬다.

한 번 선기(先機)를 빼앗긴 후로 지금껏 수십 합의 싸움이 이어지고 있었지만, 제갈천상은 단 한 번의 역습을 펼칠 수가 없었던 것이다.

무적검군은 검은 빠르고 무겁고 부드럽고 맹렬했다. 그리고 무엇보다도 끈질겼다.

바로 그게 가장 고약한 부분이었다.

무적검군은 지금껏 수십 번이나 검을 휘두르고 찌르고 꺾고 베는 동안 단 한 번도 머뭇거리거나 움찔거리거나 멈추지 않았다. 그는 한 번의 호흡으로 계속해서 쉬지 않고 제갈천상의 급소만으로 노리고 검을 휘둘렀다.

그럼에도 불구하고 여전히 그의 체력은 넘쳐흘렀으며 샘솟듯이 내공이 분출하고 있었다.

반면 제갈천상은 그렇지 않았다.

지구력은 나이와 반비례한다. 나이가 들어 체력이 떨어

지면서 지구력과 집중력도 함께 저하되는 게 세상을 지배하는 섭리(攝理)였으며, 제갈천상 또한 그 섭리를 거역할 수가 없었던 것이다.

일반적으로 노기인들이 일합(一合)의 승부를 즐기는 건 그 승부가 호쾌하거나 사나이다워서가 아니었다. 싸움이 지구전으로 바뀌게 되면 승리를 장담할 수 없어지기 때문이었다.

바로 지금, 제갈천상의 경우가 그러했다.

시간이 흐르면서, 접전이 이어지면서 제갈천상의 움직임은 점점 둔화할 것이고 반응 속도는 느려지기 시작할 것이다.

지금이야 무적검군의 쾌검을 피할 정도의 집중력과 반응 속도를 보이지만 일각 후라면, 이각 후라면 상황은 현저하게 달라질 게 분명했다.

그게 고약한 것인 게다.

제갈천상은 힐끗 시선을 돌렸다. 지금이야 무적가 무사들에게 둘러싸여 있기는 했지만, 언제든 이 싸움에 합류할 수 있는 비룡맹군이 그곳에 있었다.

그의 존재도 고약했다.

무적검군과 일대일의 승부라면 약간의 손해를 감수해서라도 어떻게든 승리를 거둘 자신이 있었다.

하지만 비록 무적검군을 해치웠다고 해도 한쪽 팔을 사

용하지 못하게 되거나 옆구리에 상당한 부상을 입게 된다면, 그런 몸 상태로 비룡맹군과 싸워 이길 자신까지는 없었다.

'정말 고약하다니까.'

제갈천상은 내심 투덜거리며 고민하다가 결국 결심한 듯 손을 내밀었다. 공교롭게도 그 내민 손을 향하여 무적검군의 검이 찔러 오고 있었다.

제갈천상은 피하는 대신 외려 더 빠르게 손을 뻗어 그 검날을 잡았다.

순간 막강한 경기가 검날에서 회오리처럼 뿜어져 나왔다. 검날을 쥔 제갈천상의 손바닥이 찢어지며 피로 범벅이 되었다.

투투투투!

소매부터 시작하여 어깨까지, 그의 옷자락이 갈기갈기 찢겨 나가며 피부에 균열이 생기고 금이 가듯 갈라졌다.

하지만 제갈천상은 침착한 얼굴로 왼손을 앞으로 뻗었다. 어느새 그의 왼쪽 손바닥 위에는 투명한 공 하나가 안개에 휘감긴 채 모습을 드러냈다.

그 투명한 공을 본 순간, 무표정한 얼굴의 무적검군의 눈에 이채의 빛이 스며들었다.

동시에 뒤쪽에서 제갈맹군이 놀라 부르짖는 소리가 들려왔다.

"환영신구(幻影神球)!"

제갈천상은 피투성이가 된 손으로 무적검군의 검을 꽉 쥔 채 왼손을 쭉 내밀며 중얼거렸다.

"가라."

투명한 공은 신기루처럼 사라졌다. 그 순간 무적검군의 안색이 급변했다.

"피해!"

비룡맹군이 절규했고, 동시에 무적검군은 황급히 호신 강기를 끌어올리며 그 자리에서 벗어나려 했다.

하지만 제갈천상의 오른손은 무적검군의 검을 놓지 않았다.

검을 버려야 하나.

무적검군이 순간적으로 망설이는 찰나, 감당할 수 없는 파괴력을 담은 무언가가 그의 가슴을 강타했다. 그의 전신을 휘감고 있던 호신강기가 산산이 부서졌다.

"컥!"

무적검군은 짧은 비명을 토하며 검을 놓쳤다. 그의 신형이 줄 끊긴 연처럼 허공 높이 솟구쳤다.

"안 돼!"

비룡맹군이 놀라 소리치며 그를 향해 날아올랐다.

제갈천상은 주인 잃은 검을 고쳐 쥐었다. 그리고는 모든 내력을 끌어올리고는 비룡맹군을 겨냥하여 창을 던지

듯 검을 내던졌다. 무적검군의 검이 우뢰와 같은 소리를
내며 화살보다 빠르게 폭사했다.

단숨에 삼사 장 높이의 허공으로 뛰어오른 비룡맹군은
무적검군을 두 팔로 안아 들었다. 방금 전의 일격으로 인
해 무적검군은 혼절한 채 축 늘어져 있었다.

"검군!"

비룡맹군이 안타깝게 소리칠 때였다.

콰콰쾅!

마치 천둥이라도 치는 듯한 엄청난 굉음이 지면에서부
터 솟구쳐 올랐다. 비룡맹군의 시선이 저도 모르게 그곳
으로 향했다.

바로 그때, 그의 시야가 눈부신 섬광으로 가득 찼다.

"헉!"

비룡맹군은 숨을 들이키며 허공에서 방향을 바꿨다. 비
룡나선(飛龍螺旋)의 놀라운 경신술!

다음 순간 비룡맹군의 안색이 창백해졌다. 쾅! 하는 충
격과 함께 왼쪽 어깨가 불타는 듯한 고통을 느껴야만 했
다. 제갈천상이 내던진 검이 비룡맹군의 왼쪽 어깨를 관
통하듯 찢고 날아간 것이다.

비룡맹군은 순간적으로 정신을 잃을 뻔했지만, 이를 악
물고는 재차 허공에서 몸을 뒤집으며 제갈천상으로부터
멀리 떨어져 내렸다.

그 광경을 지켜보며 제갈천상이 크게 외쳤다.

"무적검군을 죽였다! 비룡맹군에게 중상을 입혔다! 무적가의 무사들이여! 철목가를 몰살시켜라!"

만인평 넓은 대지 위로 그의 외침이 쩌렁쩌렁하게 울려 퍼졌다. 순간 수백, 수천의 함성이 동시에 터졌다.

"와아!"

"모두 죽여라!"

형세가 급속도로 기울기 시작했다. 수장을 잃은 철목가 무사들은 수세에 몰린 채 어쩔 줄을 몰라했다. 그들에게 명령과 지시를 내릴 사람이 필요했지만, 무적검군은 혼절한 상태였고 비룡맹군은 치명상을 입었다.

제갈천상은 힐끗 오른팔을 내려다보았다. 혈맥이 터지고 신경과 근육이 파괴되었다. 평생 불구가 되지는 않더라도 최소한 몇 달은 사용할 수 없는 중상이었다.

'그래도 겨우 이 정도로 저 두 녀석을 해치운 건 천만다행이겠지.'

제갈천상은 내심 중얼거리며, 무적검군을 안은 채 비틀거리고 있는 비룡맹군을 지켜보았다.

만약 그가 무적검군을 도외시하고 제갈천상에게 덤벼들었더라면…….

'그야말로 승부를 알 수 없었겠지.'

하지만 비룡맹군은 제갈천상의 예상대로 승리를 거두

는 것보다 동료를 선택했고, 그게 결국 패배의 원인이 되었다.

"이제 놈들의 목을 치는 일만 남은……."

제갈천상이 중얼거릴 때였다. 갑자기 등 뒤에서 목이 찢어지듯 외치는 고함이 들려왔다.

"삼숙! 어디 계십니까, 삼숙!"

제갈천상은 눈살을 찌푸리며 고개를 돌렸다.

"여기 있다. 누구냐?"

"삼숙! 삼숙!"

소슬한 바람 소리와 함께 한 명의 신형이 안개를 꿰뚫고 모습을 드러냈다. 옷매는 헝클어졌고 전신은 피로 범벅이 된 중년 사내였다.

"응?"

그를 알아본 제갈천상의 눈가에 의아한 빛이 스며들었다.

"충호(忠濠), 네가 이곳에는 왜……?"

본산에 남아서 가문을 지키고 있어야 할 자가 왜 이곳 만인평에 모습을 드러냈는지 이유가 궁금했던 것이다.

충호라 불린 사내는 제갈천상 앞에 쓰러지듯 부복하더니 울음을 토하며 소리쳤다.

"본산이…… 본산이…… 적의 기습으로 괴멸당하고 있습니다!"

"뭐라?"

놀라 되묻는 제갈천상의 얼굴이 창백해졌다.

'성공이구나!'

막사 뒤에서 지켜보던 화군악은 하마터면 박수를 치며 소리칠 뻔했다.

그건 화군악뿐만이 아니었다. 함께 지켜보던 장예추, 루는 물론 심지어 늘 무심하기만 하던 담우천마저 주먹을 불끈 쥐었다.

'성공이다!'

그랬다.

마지막 계획, 기책과 묘책이 이어져서 신묘하다고까지 생각했던 최후의 계책이 마침내 성공한 것이다.

일순 화군악은 마지막 회의 당시 강만리의 얼굴을 떠올렸다. 당시 강만리는 무뚝뚝한 표정으로 사람들을 둘러보며 이렇게 말했다.

-한 번의 기책(奇策)이 성공했다고 해서 신묘(神妙) 운운하는 건 말도 안 되지. 신묘라는 건 두 개 이상의 기책이 연달아 펼쳐지면서 적을 완벽하게 혼돈과 혼란에 빠뜨려야만 비로소 완성된다고 할 수 있거든.

10장.
불구대천(不俱戴天)

"어쨌든 가장 중요한 건 모두들 살아남아야 한다는 거야.
살아 있어야 다음 계획을 세울 수 있고,
또 황계나 유령교를 다시 이용할 수가 있으니까.
그러니까 만약 감당할 수 없는 변수나 제어할 수 없는 돌발 상황이 닥치면,
무조건 제 몸부터 챙겨서 빠져나오라고. 알겠지?"

불구대천(不俱戴天)

1. 가장 중요한 것

"그럼 마지막으로 정리를 해 보자고."

강만리가 입을 열었다.

"산중대왕(山中大王) 호랑이를 산에서 끌어 내려 넓은 들판으로 유인하는 것이 첫 번째, 그리고 그렇게 유인한 두 마리 호랑이를 외나무다리에서 맞부딪치게 만드는 게 두 번째, 그리고 마지막으로 호랑이가 떠나는 바람에 무주공산(無主空山)이 산을 공격하는 것이 마지막 세 번째 계획이지."

"헤에."

화군악이 놀란 얼굴로 말했다.

"조호이산(調虎移山)에다가 원가로착(冤家路窄), 그리고 다시 조호이산으로 이어지는 연환(連環)의 계획이로군요. 이거야말로 신묘지계(神妙之計)라고 할 수 있겠네요."

"그래. 모름지기 신묘라는 글자가 붙으려면 이 정도는 되어야지."

강만리는 전혀 쑥스럽지 않은 얼굴로 당당하게 말했다.

"한 번의 기책이 성공했다고 해서 신묘 운운하는 건 말도 안 되지. 신묘라는 건 두 개 이상의 기책이 연달아 펼쳐지면서 적을 완벽하게 혼돈과 혼란에 빠뜨려야만 비로소 신묘지계가 완성된다고 할 수 있거든. 그리고 내 계획은 확실히 신묘지계라고 해도……."

"흠, 만약 계획대로 된다면 말일세."

담우천이 차분한 어조로 끼어들며 강만리의 말을 중간에서 잘랐다. 강만리는 엉덩이를 긁적거리며 담우천을 돌아보았다. 담우천은 언제나처럼 무심한 표정을 지은 채 말을 이어 나갔다.

"아마도 만인평에서 무적가와 철목가가 한창 전투 중일 때 무적가의 본산이 궤멸당하고 있다는 소식이 전해지겠지?"

"그렇게 시간이 맞도록 계획 중입니다."

강만리는 자신의 계획에 대해서 좀 더 자세히 설명했다.

"황계와 유령교의 정예들은 이미 천자산 무적가로 떠

났고, 미리 약속한 시간, 그러니까 오늘 자정 무렵에 맞춰 총공세를 펼칠 겁니다. 무적가의 무사가 그 소식을 가지고 만인평으로 달려갈 때까지 소요되는 시간까지 생각한다면…… 충분히 형님 말대로 될 가능성이 큽니다."

"그럼 무적가는 철목가와 싸우던 와중에 회군을 하려 할 테고, 반면 철목가는 그런 무적가를 추격하겠지?"

"거기에서 조율을 잘하셔야 합니다. 말씀드렸다시피 균형의 추가 어느 한쪽으로 크게 기울어지면 안 됩니다. 절묘하게 균형이 맞아 무적가가 철목가를 몰살시키고 회군할 수도 없어야 하고, 또 철목가가 후퇴하는 무적가의 뒤를 쫓아 괴멸시켜서도 안 됩니다."

"무적가의 원군이 이천 명 정도 된다고 했으니까 후자의 경우는 거의 없다고 봐도 되겠네요. 사백오십 명이 이천 명의 뒤를 쫓을 리는 없으니까요."

"꼭 그렇다고는 할 수 없지. 어떤 경우에는 숫자의 많고 적음이 그리 대단한 게 아닐 수도 있으니까."

강만리는 화군악의 이야기에 반론을 펼쳤다.

"지금 이 자리에도 있잖아. 단 두 명만으로 수백 명의 회군을 추격하여 결국 몰살시킨 사람들이."

"아, 그렇네요."

화군악은 저도 모르게 담우천과 장예추를 돌아보았다. 확실히 그들은 오로지 단 두 명의 힘만으로 퇴각하는 수백 명 무적가 사람들을 몰살시킨 바가 있었다.

"그러니까 형님은 물론 너희들도 그곳에서, 어느 한쪽으로 크게 전력의 추가 기울지 않도록 제대로 조율해야해. 이왕이면 서로 양패구상(兩敗俱傷)의 상황이 되는 게 가장 좋겠지. 다음 계획을 위해서도 말이야."

"다음 계획도 있습니까?"

"물론이지."

강만리는 당연하다는 표정을 지으며 말했다.

"저 오대가문을 무너뜨리고 전하(殿下)의 일까지 끝내야 하니까. 그때까지는 계속해서 계획을 세우고 진행시켜야 하지 않겠나?"

"그럼 다음 계획도 준비된 겁니까?"

"그건 아니지."

강만리는 한숨을 쉬며 말했다.

"지금은 눈앞에 닥친 이번 일을 처리하는 것만으로도 벅찰 지경이니까. 하나에 한 번씩. 조금씩 해 나갈 수밖에 없다고. 게다가 이제는 나 혼자 머리를 굴려서는 해결할 수 없을 정도로 일이 커지고 복잡해졌거든."

"뭐, 언제든지 말씀해 주세요. 다른 건 몰라도 머리 쓰는 것 하나만큼은 자신이 넘치니까."

화군악이 어깨를 으쓱거리며 말하자 장예추가 피식 웃으며 중얼거렸다.

"그건 또 무슨 자신감이람."

화군악은 일부러 못 들은 척하며 강만리를 향해 질문을 던졌다.

"그런데 정극신은 어떻게 처리하실 생각입니까?"

행여 이 자리에 일반 무림인들이 있어서 그 질문을 들었다면 기절초풍했을 게 분명했다.

천하의 철목가 가주를 어떻게 처리할까, 하는 걸 두고 논의를 하는 사람들이 있다니. 그야말로 미치광이나 세상 물정 모르는 애송이들이나 할 법한 이야기가 아닌가.

그러나 질문을 던진 화군악은 한없이 진지한 얼굴이었으며 또 대답을 하는 강만리 또한 더없이 진중한 표정을 짓고 있었다.

"글쎄."

강만리는 목이 마르는지 찻물을 마셨다. 찻잔의 물은 이미 식어서 미지근해진 지 오래였다. 단숨에 찻잔을 비운 강만리는 찻주전자를 따르며 입을 열었다.

"한 서너 가지 정도 생각은 하고 있는데 그중에서 어느 게 가장 좋을지 고민하는 중이다."

"서너 가지씩이나요?"

화군악이 혀를 내두르며 묻자 강만리는 고개를 끄덕이며 대답했다.

"그래. 가령 전력을 다해 남아 있는 철목가 사람들과 싸우는 게 나을지, 아니면 담 형님과 예추를 동원하여 정극신만 해치우는 게 나을지. 또 아니면 이대로 돌려보내고 다음에 다시 이용할 방도를 생각하는 게 나은 일이지 말이야."

"헤에. 정말 골치 아프시겠어요."

그렇게 말한 화군악은 문득 눈살을 찌푸리며 재빨리 말을 이어 나갔다.

"아니, 담 형님이야 그렇다 치더라도 왜 예추만 그리 적극적으로 동원하시는데요? 저도 나름대로 강하거든요?"

"그래. 너도 강하지. 그걸 왜 내가 모르겠나?"

강만리는 알겠다는 듯이 고개를 끄덕이며 말했다.

그는 김이 모락모락 피어오르는 찻물을 훌훌 불며 마신 후 다시 입을 열었다.

"하지만 예추와 군악, 너희들의 강함은 서로 결이 다르다고 생각하거든."

"결이 달라요?"

"그래. 예추는 뭐랄까, 암살이나 추적 등에 특화된 강함이고, 군악 너는 정면으로 부딪쳐서 싸우는 전투에서 훨씬 그 힘을 발휘할 수 있는 강함이라고나 할까?"

강만리의 말에 화군악은 어깨를 으쓱거리며 말했다.

"그러니까 내가 좀 더 정정당당하게 강하다는 거네요?"

"음, 뭐 그렇다고 하자."

"그럼 담 형님은요?"

"그야 어느 쪽 모두 강하시니까. 이른바 전천후(全天候)라고나 할까."

강만리의 칭찬에도 불구하고 담우천은 전혀 표정의 변화가 없었다. 그는 팔짱을 낀 채 뭔가 곰곰이 생각하다가 불쑥 입을 열었다.

"어떤 경우에든 정극신은 내가 맡고 싶네."

사람들의 시선이 모두 그에게로 향했다. 장예추가 당연하다는 듯 말했다.

"굳이 그렇게 말씀하시지 않아도 우리 중에서 오대가문의 가주를 상대할 만한 사람은 형님밖에 없잖습니까?"

"아니지."

화군악이 참견했다.

"담 형님이 아니더라도 우리 셋이면 충분히 그와 싸워이길 수 있을 거야. 그게 아니면 강 형님의 여우 같은 지략(智略)으로……."

"여우?"

강만리가 가볍게 눈살을 찌푸리며 말했다.

"멧돼지라는 소리는 자주 들어 봤어도 여우라는 소리는 처음 듣는구나."

"에이, 누가 형님 외모 가지고 여우라고 하겠어요? 그 신묘하고 기이하고 예상 불가한 지략을 두고 여우 같다는 거죠."

"뭐 그렇다 치고."

강만리는 다시 담우천을 돌아보며 물었다.

"정유 녀석 때문인가요?"

일순 장예추와 화군악과 그게 무슨 말이냐는 듯 강만리와 담우천을 번갈아 바라보았다. 문득 장예추가 고개를 끄덕이며 중얼거렸다.

"그렇군. 정 형님께서 따로 부탁하셨나 보군요."

화군악의 눈이 커졌다.

"정 형님께서 담 형님께 부탁을?"

"그래. 만약 우리가 정극신을 상대하게 될 상황이 생긴다면, 담 형님이 정극신을 맡아 달라고 부탁했을 거야. 어쨌든 그게 최선의 방법이라고 생각했던 거겠지."

"그래? 예추 말이 사실인가요, 담 형님?"

담우천은 가타부타 말하지 않았다.

정유의 자존심을 위해서라도 굳이 이 자리에서 이야기할 이유가 전혀 없었다.

그렇게 담우천이 묵묵히 앉아 있자, 강만리가 손뼉을 치며 주위를 환기시켰다.

"자, 자. 다시 본론으로 돌아와서……."

강만리는 굳은 표정으로 말을 이어 나갔다.

"어디까지나 계획은 계획일 뿐이거든. 나름대로 최선을 다해서 모든 일어날 수 있는 상황을 다 대비했다고는 생각하지만, 그래도 어차피 사람이 짠 계획이니만큼 하늘의 뜻과 의지에 따라서 얼마든지 변수가 생길 수가 있다."

장예추와 화군악은 진지한 얼굴로 그의 이야기에 귀를 기울였다.

"예상하지 못한 변수가 생긴다면 계획에 얽매이지 말고 임기응변이나 육감, 본능, 기지 등 모든 것을 동원해서 그 상황을 타개하도록 해. 가장 중요한 건……."

강만리는 세 사람의 얼굴을 하나씩 돌아보며 천천히 말을 이어 나갔다.

"담 형님, 예추, 군악 모두의 안위야."

그의 언제나 무뚝뚝한 목소리가 언뜻 부드럽게 들리는 건 화군악과 장예추의 착각이었을까.

"계획은 실패해도 상관없어. 언제든 다시 세우고 만들 수가 있으니까. 황계나 유령교가 몰살해도 관계없어. 어차피 그들과 우리는 서로 이용하고 이용당하는 관계이니까."

거기까지 말한 강만리는 문득 지금 이런 말을 하는 자신이 쑥스럽고 어색했는지 "크흠!" 하고 크게 헛기침을 한 번 하고는 코를 훌쩍이면서 중얼거리듯 말했다.

"어쨌든 가장 중요한 건 모두들 살아남아야 한다는 거야. 살아 있어야 다음 계획을 세울 수 있고, 또 황계나 유령교를 다시 이용할 수가 있으니까. 그러니까 만약 감당할 수 없는 변수나 제어할 수 없는 돌발 상황이 닥치면,

무조건 제 몸부터 챙겨서 빠져나오라고. 알겠지?"

"형님."

화군악이 자신을 부르자, 강만리가 눈살을 찌푸리며 불퉁거리듯 말했다.

"대답이나 해."

"명심하겠습니다, 형님! 계획이야 어찌 되든 반드시 제 안위부터 먼저 챙기겠습니다."

화군악은 익살맞은 표정을 지으며 말했다. 강만리는 그를 노려보다가 한숨을 쉬며 장예추에게로 시선을 돌렸다.

장예추가 고개를 숙이며 말했다.

"무슨 뜻인지 이해했으니까 걱정하지 마세요."

"그래, 너는 걱정하지 않아. 형님도 대답하셔야죠."

강만리는 화군악을 재차 노려보고는 담우천에게 말을 건넸다.

담우천의 입가에 희미한 미소가 그려졌다. 그는 천천히 고개를 끄덕이며 대답했다.

"알겠네. 반드시 살아서 돌아오겠네."

2. 어필봉 전투

황계는 정보 조직이었다.

개방, 흑개방과 더불어 대륙 전역을 아우르는 거대한 조직으로, 황계가 사고파는 정보라는 게 매우 은밀하고 극비에 해당하는 것들이 많아서 온갖 사고가 끊임없이 발생했다.

어떤 세력들은 무력을 동원하여 황계가 정보를 사거나 파는 걸 방해하려고 하기도 했으며, 심지어 무림에서 내로라하는 절정 고수가 직접 황계를 찾아와 시비를 걸기도 했다.

일반적인 조직이나 집단은 그런 경우를 대비해서 평소 관아(官衙)에 줄을 대고, 주변 흑도 방파나 혹은 명문 거파(巨派)와 연을 쌓아 둔다. 그래서 시비가 발생하게 될 경우 평소 쌓아 둔 인맥과 무력을 동원하는 것이다.

황계도 크게 다를 바가 없었다. 그들 또한 관아와 인맥을 쌓고 주변 흑도 방파와 명문 정파, 거대 문파와 관계를 맺어둔다.

거기에다가 황계는 자신들의 특수한 상황을 이용하여 사마외도의 고수들을 불러모아 황백(黃佰)이라는 조직을 만들었다.

그 황백 중에서도 가장 뛰어난 자들을 십이백야(十二佰爺)라고 했는데, 과거 구천십지백사백마 중에서 서열 오십 위 안에 드는 거물들이 바로 그 십이백야였다.

약 보름여 전, 십이백야와 백 명의 황백은 황계의 총계주 십삼매로부터 무적가를 궤멸시킬 수 있는 기회가 왔다는 이야기를 들었다.

황백들은 그렇다 치더라도 십이백야에게 있어서 무적가를 비롯한 오대가문은 그야말로 불구대천(不俱戴天)의 원수였다. 당연히 이 좋은 기회를 놓칠 리가 없었다.

그들은 미리 천자산 어필봉 근처에서 대기를 하면서 제갈천상이 이끄는 대군(大軍)이 하산하여 서쪽으로 이동하는 광경을 물끄러미 지켜보았다.

그리고 사흘이 지나서 이제는 제갈천상의 대군이 회군하기에는 너무 늦었다고 생각될 때, 십이백야와 백 명의 황백은 어둠을 틈타 어필봉 정상 언저리에 있는 무적가를 기습했다.

어필봉에 자리를 잡고 있는 무적가의 본산은 그야말로 천연의 요새라 할 수 있었다. 사방이 깎아지른 듯한 절벽이었고, 본산까지 오르기 위해서는 그 절벽을 깎아서 만든 돌계단을 이용해야만 했다.

황계의 절정 고수들은 구름이 잔뜩 낀 한밤중, 아무런 불빛도 없이 그 돌계단을 올라 무적가에게 기습을 가했다.

경비를 서던 보초들이 추풍낙엽처럼 쓰러지는 가운데, 누군가 적의 기습을 알리는 호각을 불었다.

삐익! 삐-익!

호각 소리가 요란하게 울려 퍼졌다. 본산의 전각 곳곳에서 불이 밝혀졌다.

사방에서 무적가의 무사들이 튀어나왔다. 얼마나 다급했는지 미처 옷을 제대로 갖춰 입지 못한 채 달려 나온 이들도 있었다.

십이백야와 백 명의 황백은 한 점의 망설임도 없이 그들을 베어 나갔다. 칼로 목을 긋고 검으로 가슴을 찔렀다. 도끼로 머리를 내리찍었고, 손가락으로 두 눈을 파냈다. 비명과 고함, 욕설이 난무했다.

십이백야와 황백들은 강했다. 그들만의 힘으로 어지간한 문파 한두 개 정도는 하룻밤 사이 충분히 괴멸시킬 수 있을 정도로 강했다.

하지만 무적가는 평범한 문회방파(門會幫派)가 아니었다. 비록 이천여 정예 부대가 본산을 떠났다고는 하지만, 아직 수천의 식솔과 그들을 보호하는 수백 명의 무사들이 그곳에 남아 있었다. 그리고 그들 중 고수 아닌 이가 없었다.

심지어는 시녀들과 하인들까지 무공을 익혔으며, 그들 또한 무적가에 대한 충심이 일반 제자들과 다르지 않았다. 그들은 결코 십이백야와 황백들 앞에서 등을 보이지 않았으며, 부상을 당하거나 목숨을 잃는 걸 두려워하지 않았다.

일반 시녀, 하인들조차 그러할진대 일반 무사들과 무적가의 문인(門人)과 가족들이야 두말할 나위가 없었다.

기습을 당한 지 불과 한 식경 만에 무적가는 전열을 가다듬고 적과 전면전을 벌일 태세를 갖췄다. 양측의 인물들이 거대한 연무장에 모여 대치하게 된 순간, 기습에서 오는 장점은 그것으로 사라졌다.

강만리의 말이 아니더라도 역시 단발적으로 끝나는 기습은 기습이 아니었다. 제대로 훈련하고 교육을 받았다면 한밤중의 기습 정도는 빠르고 확실하게 대응할 수 있었다.

만약 무적가 측에서 그렇게 대응하기 이전에 십이백야와 황백들이 재차 또 다른 기습과 공격을 감행했더라면 지금과 같은 전면전은 벌어지지 않았을 것이다.

하지만 전면전이 벌어졌다고 해서 십이백야와 황백들이 패하게 된 건 아니었다. 비록 수적으로는 열세였지만 어쨌든 무적가의 최정예 부대가 본산을 떠난 만큼, 개개인의 실력은 십이백야 측이 앞선다 할 수 있었다.

밤이 지나고 아침이 왔다. 해가 중천에 떴다가 다시 서쪽으로 기울었다. 결과를 예측할 수 없는 치열한 전투가 온종일 이어졌다.

기력을 소진한 십이백야와 황백들이 잠시 뒤로 물러났을 때가 기회였지만 무적가 무사들에게도 그들을 쫓을 만한 여력이 없었다.

무적가는 연무장을 중간에 두고 대치하는 가운데 더욱 수비를 공고히 했다. 본진 대부분이 하산한 상황에서 적을 괴멸시키는 건 중요하지 않았다. 최대한 많은 식솔을 살리고 그들의 안전을 지키고 호위하는 것, 그게 무적가가 해내야 하는 일이었다.

게다가 이미 제갈천상 측에 연락을 보내 두었으니 며칠 이내로 본진에서 원군을 보내올 것이다. 즉, 이대로 버티기만 하면 반드시 적을 물리칠 수 있기에, 무적가는 굳이 무리한 전투는 감행하지 않았다.

소강상태는 제법 오래 지속되었다.

연무장 아래쪽, 객방과 창고들이 운집해 있는 곳까지 후퇴한 십이백야와 황백들은 적잖이 당황해하고 있었다. 무적가의 저항이 이렇게나 완강하고 끈질기며 강인할 줄 전혀 몰랐던 것이다.

"역시 무적가일세."

"본진이 모두 빠졌는데도 불구하고 이 정도라니……."

"우리가 무적가를 과소평가한 것 같군."

십이백야는 새삼 무적가를 재평가하면서 차후 대책을 논의했다.

물론 기습은 성공했다. 그 한 번의 기습으로 수백 명의 무적가 사람들을 해치울 수 있었으니까 확실히 기습은 성공했다고 할 수 있었다.

하지만 그 기습으로 목숨을 잃은 이들은 결국 하급 무사나 시녀, 하인들이 대부분이었다. 아직 무적가에는 충분한 병력이 남아 있었고, 무적가 측에서 제대로 대응을 하기 시작한 후로는 외려 황계 측의 손해가 컸다.

"그래도 아직 싸울 수 있는 수가 여든이 넘네."

"무엇보다 우리 십이백야가 건재하니."

"날이 어두워지면 다시 기습을 감행하기로 하세. 이번에는 패를 나눠 한 패는 서북쪽으로 돌아 어필봉 정상에서 공격하는 게 어떨까 싶은데."

"양면 협공인가?"

"흠, 좋은 방법인 것 같군."

십이백야는 결국 양면 협공을 새로운 기습 계획으로 채택한 후 패를 둘로 나누고 어둠이 내리기를 기다렸다.

고래(古來)로 양면 협공은 그 가장 뛰어난 병법 중의 하나로 기록되어 있다. 특히 기습의 경우에는 전투 자체의 승패를 바꿀 정도의 엄청난 위력을 지닌 전법이었다.

하지만 상대가 미리 알아차리고 대비한다면 외려 자신들의 병력을 스스로 반으로 쪼개서 각개격파 당하게 만드는 우책(愚策)이 되고 만다.

즉, 양면 협공과 같은 계책은 적이 눈치채느냐 그렇지 않느냐에 따라서 동전의 양면과 같은 결과가 나오게 된다.

만약 십이백야가 처음 기습을 펼쳤을 때 그 양면 협공을 계획했더라면, 아마 지금과는 판이한 상황이 전개되었을 것이다.

무적가의 모든 신경이 온통 정면에서 쳐들어온 자들에게 쏠려 있을 때, 산 정상에서 내려온 일단의 무리들이 연달이 무적가의 뒤통수를 치는 것이다.

그야말로 단발로 끝나는 평범한 기습이 아닌, 연달아 이어지는 당혹스러운 기습이 되는 것이다.

하지만 이미 때는 늦었다.

첫날의 기습에 혹독하게 당한 무적가는 이미 만반의 대비를 하고 있었다. 십이백야와 황백들이 둘로 나뉘어 한쪽 패거리가 북서쪽으로 크게 돌아 산 정상으로 오르는 순간, 무적가는 전력을 동원하여 남아 있는 이들을 총공격했다.

연무장 아래쪽에 남아있던 백야들과 황백들은 당황했다. 전력으로 부딪쳐 싸워도 이길 수 없던 상대를 절반의 병력으로 상대해야 했으니 이길 도리가 없었다.

게다가 산 정상으로 올라간 패거리들이 다시 빙 돌아서 내려오려면 시간이 필요했다. 그 시간 동안 버틸 수 있느냐, 그렇지 못하느냐에 따라서 이번 싸움의 결과가 달라지게 되는 것이다.

백야들과 황백들은 이를 악물고 항전했다. 팔이 부러진

자들도, 다리가 잘린 자들도 일어나서 무적가와 싸웠다. 불구대천의 원수와 싸우다가 죽는 게 그들의 남은 소원이었던 게다.

다른 패거리들도 상황이 급변했음을 깨닫자마자 곧바로 방향을 선회, 양면 협공을 감행했다. 동료들의 목숨을 건 항전(抗戰)은 그들의 사기와 결의를 드높이기에 충분했다.

만반의 대비를 갖추고 있던 무적가가 당황한 건 바로 그 점이었다.

칼에 찔려 죽을 위기에 처해도 놈들은 물러서거나 도망치지 않았다. 오히려 두 팔로 칼을 붙잡아서 무적가 사람들의 움직임을 방해하고 무기를 사용하지 못하게 만들었다.

나는 죽어도 괜찮다. 내 죽음에 대한 복수는 뒤에서 덤벼드는 동료가 해 줄 것이다.

그런 결연한 각오와 의지를 담고 덤벼드는 십이백야와 황백들 앞에서 무적가 무사들은 점점 뒤로 물러날 수밖에 없었다.

어쨌거나 그들은 십이백야와 황백들과는 달리 반드시 지켜야 할 식솔들이 있었다. 어린 자식, 아내, 늙은 부모, 갓난 손자 할 것 없이 제 목숨보다 더 귀한 이들을 지키고 보호해야 할 의무가 있었다.

결국 그 차이였다.

거의 열 배 가까이 많은 수적 우세를 지니고도 무적가
무사들이 계속해서 뒤로 밀릴 수밖에 없는 이유가 바로
거기에 있었던 것이다.

3. 양동작전(陽動作戰)

"본산이…… 본산이…… 적의 기습으로 괴멸당하고 있
습니다!"

제갈충호가 울부짖듯 소리쳤다.

일순 제갈천상의 안색이 급변했다.

'기습? 적이라니, 괴멸이라니?'

도저히 믿을 수 없는 보고였다. 노회한 제갈천상의 머
릿속이 백지가 될 정도로 충격적인 보고였다.

단 한숨도 자지 않은 채 몇 날 며칠을 달려온 제갈충호
는 제갈천상을 보자마자 모든 기력을 잃은 듯 그 자리에
주저앉은 채 그간 경과를 설명했다.

제갈천상은 여전히 비룡맹군과 무적검군에게서 시선
을 떼지 않은 채 그 보고를 들었다. 제갈충호의 이야기를
듣는 동안, 잠시 백지로 변했던 그의 뇌리가 다시 빠르게
회전하기 시작했다.

'백여 명이 기습을 했다는 건 몇 가지 시사하는 바가 크다. 우선 우리 전력의 대부분이 본산을 떠나 이탈할 거라는 사실을 미리 알고 있었다는 것이다. 그렇지 않고서야 불과 백여 명만으로 본가의 본산까지 찾아오지 않았을 테니까.'

상대가 어느 조직인가는 상관없다. 어쨌든 기습대를 조직해서 천자산 어필봉까지 보내는 데에는 적지 않은 시간이 필요했다.

만약 무적가에 모든 전력이 고스란히 남아 있었다면 그 어떤 조직이라도 불과 백여 명만으로 기습대를 만든다는 생각은 추호도 하지 못할 것이다. 그야말로 달걀로 바위 치기인 셈이니까.

즉, 기습대를 보낸 조직은 이미 그들을 보내기 전부터, 그러니까 최소한 열흘에서 보름 전부터 무적가의 전력 대부분이 본산을 이탈할 거라고 예상했다는 것이다.

'내가 이 대규모의 원군을 결정한 게 불과 닷새 전의 일이다. 그런데 나보다 먼저 이 대규모 원군을 예상한 자가 있다?'

제갈천상의 얼굴이 딱딱하게 굳어졌다.

느낌이 왔다. 이 대규모 원군을 예상한 자들이 누구인지 알 것 같았다.

'보광에게 원군을 보내 달라고 급전(急傳)을 띄우게 만

든 자들.'

그랬다.

만약 놈들이 제갈보광이 성도부에서 도망치면서 급전을 띄운 사실을 알았다면, 충분히 무적가 본산에서 대규모 원군을 보낼 거라고 예상했을 것이다.

제갈천상의 시선에 비룡맹군에게로 향했다.

마침 비룡맹군은 혼절한 무적검군을 부축한 채 천천히 몸을 일으키고 있었다.

제갈천상은 고개를 끄덕였다.

'저놈들이다, 본산에 기습대를 보낸 건.'

분명 그럴 것이다.

양동작전(陽動作戰).

그 단어가 떠오르는 순간, 그동안 제갈천상의 뇌리에 남아 있던 모든 의문들이 일제히 사라졌다. 머릿속을 가득 메우고 있던 안개가 순식간에 사라진 것이다.

'애당초 성도부에서 보광과 오백의 수하들을 상대한 놈들이 바로 철목가인 게야.'

제갈천상을 이를 악물었다.

걷잡을 수 없는 분노가 가슴 깊은 곳에서 머리끝까지 피어올랐다.

'놈들은 보광과 수하들을 몰살시킬 수 있는 병력을 동원했음에도 불구하고 결코 그렇게 하지 않았지. 보광이 우리에게 원군을 보내 달라는 급전을 보낼 때까지, 놈들은 고양이가 쥐를 가지고 노는 것처럼 예까지 느긋하게 추격을 한 게지.'

생각해 보면 확실히 이상했다.

제갈천상이 제갈보광의 급전을 받은 게 이레 전, 그리고 대규모 원군을 조직하여 본산을 떠난 게 닷새 전의 일이었다. 급전이 무적가 본산까지 도착하는 데 소요되는 시간을 생각하자면, 제갈보광은 최소한 열흘 전 급전을 보냈던 것이다.

하지만 이곳 만인평은 성도부에서 불과 사나흘 거리. 만약 제갈보광이 급전을 보낸 후 열흘 내내 겨우 이곳 만인평에 머물러 있다는 건 애당초 말이 안 되는 일이었다.

즉, 제갈보광과 수하들이 여태 만인평에서 버티고 살아 있었다는 건 철목가 놈들의 철저한 계획 때문이었다. 놈들은 제갈보광 일행들을 살려 두어 지금 이렇게 제갈천상의 원군과 조우하게끔 만들려고 한 것이다.

'놈들은 보광을 마지막까지 괴롭히다가 사로잡으려고 했을 게다.'

즉, 제갈보광은 제갈천상이 본산으로 회군하지 못하도록 그들의 발목을 잡기 위한 인질과도 같았다.

그러나 아무리 신통방통한 계획을 세운다 하더라도 결국 성사(成事)는 하늘의 뜻에 달린 일, 놈들은 계획과는 달리 제갈보광을 죽이고 말았다.

'보광이 포위망을 뚫고 달아나려는 순간, 수풀 속에 숨어 있던 철목가의 단주들이 공격했다고 했지?'

철목가의 추격으로부터 살아남은 무적가 무사들로부터 몇 사람의 입을 통해 전해진 보고는 확실히 그러했다. 즉, 놈들이 제갈보광을 죽인 건 전혀 의도하지 않은 일이라 할 수 있었다.

'죽일 놈들!'

제갈천상은 왼손 가득 진기를 끌어올렸다. 보이지 않는 투명한 공 하나가 그의 왼손바닥 위에 동그랗게 생성되었다.

환영신구.

무적가의 성명절기라 할 수 있는 열화신구보다 훨씬 더 익히기 어렵고 까다로움에도 불구하고 그 위력은 외려 열화신구의 절반도 되지 않는 까닭에, 이제는 거의 절전(絕傳)되다시피 한 무공.

하지만 투명하기 때문에 얻게 되는 이득도 충분했다. 바로 지금의 경우처럼.

무적검군의 검에 의해 오른손을 사용할 수 없게 된 제갈천상은 천천히 왼손을 들어 올렸다. 손바닥 위의 환영신구가 둥실 허공으로 떠올라 천천히 미끄러지듯 이동했다.

강기를 쾌검처럼 빠르게 발출하는 것보다 훨씬 더 어려운 공부(功夫)가 이렇게 사람들이 눈치채지 못하도록 아주 천천히 이동시키는 수법이었다.

'저 개자식들만 죽이자.'

제갈천상은 이를 악물며 환영신구를 조종했다.

'저 놈들을 해치우고 곧바로 회군하는 거다.'

그렇게 결정을 내렸으니 이제 놈들, 비룡맹군과 무적검군을 죽이는 일만 남았다.

제갈천상은 허공섭물(虛空攝物)처럼 자신의 기를 이용하여 환영신구를 조종했다. 그의 손을 떠난 환영신구는 안개의 장막을 건너서 비룡맹군에게로 향했다.

비룡맹군은 환영신구가 제 머리 위로 날아오는 것조차 모를 정도로 무적검군에게 모든 신경을 집중하고 있었다.

'죽어라!'

제갈천상은 왼손을 오므렸다.

그 동작과 동시에 환영신구가 폭발하여 주변 일 장여의 공간을 초토화시킬 참이었다.

바로 그때였다.

'헉!'

제갈천상의 얼굴이 굳어졌다. 등골을 타고 식은땀이 흘렀다. 그는 왼손을 오므리다가 말고 황급히 몸을 젖혔다.

등 뒤로부터 가공할 살기가 폭사해 왔던 것이다.

하지만 이미 때는 늦었다.

세상 그 무엇보다도 빠르게, 그 어떤 것보다도 날카롭게 파고든 한 가닥의 살기가 제갈천상의 움직이지 못하는 오른팔을 싹둑 베고 사라졌다.

'이런!'

제갈천상은 이를 악물며 왼손으로 지혈을 하는 동시, 혹시 이어질지 모르는 제 이의 공격을 피하기 위해 훌쩍 허공 높이 몸을 날렸다.

"누구냐!"

허공에서 반 바퀴 회전하며 몸을 돌린 제갈천상은 살기가 쏘아진 임시막사 쪽을 노려보며 소리쳤다.

하지만 그곳에는 어떤 인기척도 느껴지지 않았다. 제갈천상이 허공으로 몸을 띄우는 순간 이미 그 자리에서 사라졌던 것이다.

"도대체 누가……."

천천히 허공에서 내려온 제갈천상의 이마에 땀이 송골송골 맺혔다. 그는 팔뚝부터 썩은 무 잘리듯 잘려 나간 제 오른팔을 내려다보며 빠르게 머리를 굴렸다.

'검기(劍氣)? 아니, 잘려 나간 흔적을 보면 검강(劍罡)일 가능성이 높다. 철목가에 이 정도의 화후(火候)를 지닌 검의 고수가 있었던가?'

식은땀이 흘렀다. 조금이라도 늦게 반응했더라면 팔이 아니라 목이 잘렸을 것이다.

제갈천상은 힐끗 비룡맹군 쪽을 돌아보았다. 그를 보호하려는 철목가의 무사들과 또 그를 죽이려는 무적가 무사들로 인해 비룡맹군과 무적검군의 모습은 제대로 확인할 수가 없었다.

이렇게 된 이상 이곳에서 머뭇거릴 이유가 없었다. 또 그 검의 고수가 언제 또 암습할지 몰랐다.

제갈천상은 내공을 운기하여 크게 소리쳤다.

"철목가는 들으라!"

그의 사자후(獅子吼)가 만인평 전역에 쩌렁쩌렁 울려 퍼졌다. 사위를 가득 메운 안개조차 움찔거리며 흩어질 정도의 내공이 실린 사자후였다.

"이제 본가와 철목가는 불구대천, 결코 함께 하늘을 이고 살아갈 수 없는 사이가 되었다."

제갈천상은 잘린 왼팔을 감싸 쥔 채 울부짖듯 소리쳤다.

"돌아가서 정극신에게 전하라! 오늘 이후, 본 무적가는 그 어떤 적보다 먼저 철목가와 싸울 것이고, 철목가의 삼족(三族)을 멸할 때까지 그 싸움을 멈추지 않을 것이라고 말이다!"

그의 피를 토하는 웅변에 수천의 무적가 무사들이 일제

히 발을 구르며 함성을 내질렀다.

"와아!"

"모두 죽여라!"

지진이라도 난 것처럼 만인평 전체가 들썩거리는 가운데, 제갈천상의 목소리가 이어지고 있었다.

"본가로 돌아간다! 제단을 설치하고 본가 선조들에게 보고를 드리자! 그렇게 제대로 출정식(出征式)을 치른 후, 철목가를 섬멸하는 게다!"

"와아!"

"무적가 만세!"

다시 뜨거운 고함과 함성이 이어졌다.

제갈천상은 그렇게, 본가의 위기에 대해서는 한마디 언급도 하지 않은 채 모든 군사를 돌려 회군하기 시작했다.

(무림오적 29권에서 계속)

천마님
천하를
뒤집어 놓으셨다

『천마를 삼켰다』의 작가 STAY의 새로운 이야기

STAY 신무협 장편소설
『천마님 천하를 뒤집어 놓으셨다』

구천을 다스리는 만마의 지배자
천마(天魔)
그리고 신녀가 될 수 없었던 천마신교
제일의 무녀, 독고연미

마지막 신력으로 그녀가 점지한 최후의 인연
독고천(獨孤天), 그의 장대한 대서사가 시작된다!

"죽어도 여기서 죽어라."

독고세가의 잠룡이 눈을 뜬 순간,
그 행보에 천하가 뒤집힌다!

[
소방관,
화재를 예방 · 경계 · 진압하는 데 종사하는 사람
]

아버지와 함께, 구조 활동을 펼치던 소방관, 홍성준
갑작스러운 건물 붕괴에
아버지와 함께 고립되고 만다

그리고……
마지막까지 포기하지 않고 구조를 하던
그에게 떠오른 하나의 메시지

[시스템이 작동합니다.]

떨어지는 잔해도, 뒤에서 닥쳐오는 화마도,
막을 수 없다!

'반드시 구한다.'

불꽃을 태우는 소방관, 홍성준의 이야기가 시작된다!

글월 현대 판타지 장편소설

초아 현대 판타지 장편소설

건반 위의 지배자

클래식의 지평을 여는 한 남자의 일대기!

『건반 위의 지배자』

그 누구보다 피아노를 사랑하지만
현실에 부딪쳐 조율사로 살아가던 차현승

어느 날 꿈속에서 본 자신의 모습은
누구보다도 웅장하고 경이로운 연주를 하고 있었다

"이 연주를 하고 있는 게 정말…… 나라고?"

그날 이후 들리기 시작한 자연의 소리

듣는 이의 마음을 움직이는
천재 피아니스트의 연주가 시작된다!